De kracht van liefde of *Hallo, daar ben ik weer!*

Grote ABC nr. 667

Marjan Berk

De kracht van liefde of *Hallo, daar ben ik weer!*

Roman

Amsterdam · Uitgeverij De Arbeiderspers

Omslag: Lodewijk Post de Jong, *Un ballo in maschera*
Omslagontwerp: Nico Richter
Druk: Tulp, Zwolle

ISBN 90 295 0168 5 / CIP

Voor Willem Lodewijk

Ich bin, ich werde sein, ich war
die Fledermaus in deinem Haar.

Hans Magnus Enzensberger

1

‘Geen verplichtingen en geen verwachtingen...’

Onder het uitspreken van de woorden die haar moesten vrijwaren voor complicaties achteraf beklom Regien de Kooning het antieke vrijgezellenbed van Repko Kaas, die hierdoor erg opgewonden raakte. Wie had kunnen denken dat deze bellefleur van twintig jaar, die hij bijna zonder bijgedachten onderdak en een stoel aan tafel had geboden, nu zonder enige inleiding in de vorm van flirt of aanhaligheid zijn bed in zou rollen?

Beloning. Dat was het gevoel dat Regien motiveerde tot deze impulsieve handeling. ‘Voor wat hoort wat’, had haar moeder haar geleerd; de gedachte dat zij zonder tegenprestatie Repko’s gastvrijheid zou moeten accepteren verdroeg ze niet en daar ze weinig meer bezat dan haar stevige jonge lijf restte haar niet anders dan haar gastheer in natura te betalen.

Het gedrongen atletische lichaam van Repko Kaas, vijfenveertig jaar oud, registeraccountant van naam, vrijgezel en bedhopper, reageerde alert op Regiens spontane actie. Hij klemde haar ogenblikkelijk tussen zijn korte, met blond haar overdekte beentjes, snuffelde gretig tussen haar verse borsten en deed haastig dat waar hij zo dol op was.

Bij nader inzien was Regien iets minder enthousiast. Wat had ze nu weer gedaan? Waarom moest ze toch altijd ogenblikkelijk haar impulsen volgen. Nou lag ze weer door haar eigen stomme schuld onder een heer, die ze in de dagelijkse omgang best aardig vond, maar die fysiek niets in haar wakker maakte. Sterker nog, nu puntje bij paaltje kwam, griezelde ze eigenlijk een beetje van hem. Ze had toch ook een plant kunnen kopen, een azalea of een cyclaam? Waarom gaf ze de hoofdprijs altijd zo snel weg aan de eerste de beste? Wat tobberig na haar aanvankelijk elan liet ze het geweld van Repko's viriele uitbarsting over zich komen, beleefd wipte ze in het ongeveer juiste ritme mee en beloonde haar gastheer met goed getimede 'oe's' en 'aaah's', zodat deze zich een uitstekend minnaar voelde.

Zodra de beleefdheid het toestond stapte Regien uit bed en spoedde zich naar de douche; een aan wasdwang grenzende behoefte zich schoon te spoelen deed haar zich soppen en schrobben of ze drie weken geen water had gezien.

Repko stak zijn hoofd om de hoek. 'Mag ik erbij?'

'Ik ben al klaar.' Regien wist niet hoe vlug ze zich moest afdrogen, met de vochtige handdoek omgeslagen glipte ze langs Repko's grijpklare handen.

Repko wilde praten. Maar Regien wendde slaap voor en verdween naar de logeerkamer, het kamertje dat Repko zo altruïstisch aan haar had afgestaan. Ze lag lang wakker, hoorde Repko stommelen in de keuken en eindelijk verdwijnen in zijn slaapkamer.

Hoe moest dat nu morgenochtend? Gewoon theewater opzetten, Repko goeiemorgen wensen en doen of ze gek was. Wat had haar bezield? Net nu haar leven een beetje tekening begon te vertonen maakte ze er weer een potje van. Eindelijk op de Academie voor Lichamelijke Opvoeding in Amsterdam. Eindelijk een zolder op een van de wallen gevonden, weliswaar zonder water of licht, zonder enig comfort, maar er viel veel van te maken. Een kwestie van tijd. En die vriendelijke Repko, die had aangeboden haar onderdak te verlenen tot de meest dringende faciliteiten zouden zijn aangebracht.

'Geen verwachtingen en geen verplichtingen.' Die originele tekst bij het binnenstappen van zijn bed zoemde na in haar hoofd. Je kon er donder op zeggen, dat Repko dit initiatief van haar kant niet als eenmalig incident zou opvatten.

De liefde bedrijven met Jan en Alleman, zonder verliefdheid, daar zou ze toch eens mee moeten ophouden. Ze zou het weer allemaal aan Stip moeten uitleggen. Stip, met wie ze nu twee jaar een eigenaardige verhouding onderhield. Stip, die haar intellectuele opvoeding min of meer ter hand had genomen. Hoewel, zij had Stip gedichten leren lezen. Of hij wilde of niet, hij moest luisteren naar Slauerhoff, Nijhoff, Achterberg. Op luide toon declameerde Regien de *Mei* van Gorter en Stip luisterde. Of deed alsof. Hij had zelfs op eigen initiatief *The Cocktailparty* van T.S. Eliot voor haar gekocht. Het ging haar boven haar pet, die moeilijke Engelse gedichten, maar ze was geroerd door Stips pogingen lyriek te verorberen. Bovendien las hij haar als tegenprestatie voor uit Léautaud, wat ze iets te veel over katten vond gaan, en Connolly, *The Unquiet Grave,* en dat vond ze dan weer prachtig. Dat was de waarheid, prachtig, prachtig, en Stip maakte dat allemaal voor haar, eenvoudige Regien de Kooning uit Zeist, toegankelijk. Ze bofte met Stip, maar verliefd... nee, dat was ze niet. Je kon met Stip lachen, je kon met Stip prima lullen over muziek en literatuur, maar neuken met Stip... Het was niet echt naar, of bijna eng, zoals met die stevige dwerg van daarnet, het was meer vervelend. Saai. En ook wel teder. Ze had het gevoel, dat ze hem een dienst bewees wanneer ze met hem naar bed ging. Maar zelfs daar was ze af en toe niet helemaal zeker van, ze dacht wel eens dat Stip het net zo saai vond als zijzelf, en dat hij het alleen maar deed omdat er niks beters voorhanden was. Zoenen deden ze ook niet. Stip vond zoenen een barbaarse gewoonte, hij beweerde dat Japanners en Eskimo's neusden, dat was een teken van hoge beschaving. Neuzen wilde hij eventueel wél. Regien had het gevoel dat het maar een smoes van Stip was en dat hij gewoon vond dat ze niet goed zoende. En dat terwijl ze er zo van hield.

Ze dacht aan de Chinees, waar ze het ook wel eens mee deed, hij was weer wel een meester in sensuele fijngevoeligheid. Zoenen deed hij buitengewoon kundig, de punt van zijn tong was in staat tot tremolo's en triolen op werkelijk alle plekken waar maar iets te zoenen viel. En zijn handen, vooral zijn vingertoppen wisten er raad mee. Het vrijen met Tjang onderging ze als een oosters experiment, leuk om het te leren kennen, behoorlijk opwindend ook, maar ze hield niet van hem.

Na dit inventariserend gepeins dwaalden Regiens gedachten terug naar het zojuist beleefde. Hoe had Repko gezoend?

Hij had gehapt. Met visselippen had hij in haar wangen en haar hals gehapt, ze had zorgvuldig weten te vermijden dat hij haar mond had geraakt.

Zenuwachtig wreef ze over haar wangen en viel in een onrustige slaap.

2

Repko deed zijn best om Regiens woorden juist te interpreteren. Hij deed vaderlijk, en hield het drie dagen vol niet terug te komen op die wonderlijke nacht. Hij ontving Stip zelfs en bood hem een glas cognac aan. Stip rook nattigheid, hij keek van Repko naar Regien, die druk doende was haar culinaire hoogstandje, puree met Brussels lof en gehakt in de oven, te bereiden. Die ouwe vent met z'n dure cognac, had ie een oogje op Regien? Of was er al van alles gepasseerd? Stip kende Regiens eigenaardige dadendrang, zelf was hij min of meer besprongen in het ziekenhuisbed waar hij ter observatie een tijdje doorbracht. Het was op de eerste-klas-afdeling, er lag verder alleen nog een dove oude dame, dus er was tijd te over voor de avondzuster om een vrolijke relatie met de lange bleke interessante student te beginnen. Stip vond haar verfrissend na het gezeur van de professor en zijn hoofdassistent over het asthenisch aspect van zijn toestand. 'De Kooning!' hoorde hij de hoofdzuster op de gang roepen. Er trok een glimlach om zijn smalle lippen. Rare gewoonte om die verplegende meiden uitsluitend bij de achternaam aan te spreken. Op de een of andere manier vond hij haar wel bekoorlijk. Een iets te dik ruggetje, dacht hij kritisch, verdomd goed beseffend dat het soort vrouwen dat zijn goedkeuring op alle gebied kon wegdragen in de verste verte nooit aan hem, Stip Gagel, één oogopslag zouden wijden. Dus stond hij Regien toe zich met hem te bemoeien.

Het toeval wilde dat haar kamertje in het zusterhuis uitkeek op zijn kamer. Regien maakte van deze speling van het lot gebruik door op alle tijden van de dag en de nacht dat ze geen dienst had, pantomimes op te voeren. Op een maanverlichte avond bestond ze het om een striptease uit te voeren, die niet zozeer prikkelend als wel hoogst belachelijk was. Een vreemde energie voer door haar heen; ze wilde dat Stip, sombere, laconieke, cynische Stip Gagel zou lachen.

Hoewel herenbezoek in het zusterhuis uitsluitend werd toegestaan aan heel oude vaders, die zich daartoe moesten legitimeren bij de hoofdzuster, wist Regien Stip zover te krijgen dat hij, in zijn regenjas met de kraag hoog opgeslagen en een grote shawl om zijn hoofd geknoopt, een bezoek aan haar kamertje bracht. Het was de bedoeling, dat Regien hem zou verleiden. Maar ze kreeg de slappe lach toen Stip zich uitkleedde en een onderbroek bleek te dragen van ouderwetse snit. Zodat ze gierend in bed lagen en Stip niet bij machte bleek de daad te volbrengen. Regien klopte hem geruststellend op zijn rug en verzekerde hem dat dat allemaal vanzelf wel goed zou komen. Later.

3

Later. Dat was het magische woord dat ze gebruikte als de omstandigheden tegenwerkten, het leven zich niets aantrok van haar intenties. En omdat ze in veel opzichten zeldzaam slordig leefde, moest ze 'later' nogal eens inschakelen. Natuurlijk werd dat saaie geneuk met Stip er nooit beter op. Ze legden zich er beiden bij neer, het was iets dat af en toe moest gebeuren en dat was dat. Maar ze werden er hongerig van. Stip fixeerde zijn seksuele behoeften verbaal en visueel; hij bekeek met grote belangstelling zéér jonge meisjes, hield op feestjes graag een arm geslagen om de een of andere vriendin van Regien; een hand om een borstje gevat... dat vond hij leuk. En Regien ging ongedwongen op zoek naar iets anders. Dat zoeken was niet erg gericht, zodat bizar avontuur nogal eens de dagelijkse sleur doorbrak. Zoals nu weer de geheel op haar schouders neerkomende verantwoordelijkheid voor die rare relatie met Repko.

Als een deus ex machina kwam de zwangerschap ertussen. Maar van wie was dat kind nou toch? Regien rekende zich suf. Repko was veertien dagen naar Griekenland geweest, dus het kind moest wel van Stip zijn. Ja, zeker weten, god zij gedankt! Want honderdduizend keer liever een kind van Stip dan van Repko! Na alle inspanningen om op de Academie voor Lichamelijke Opvoeding te komen en eindelijk het leven te gaan leiden waarvan ze zo lang had gedroomd, kwam dat bespottelijke zwanger-zijn bijzonder slecht uit.

'Ach Regien, hoe kun je nou toch zo stom zijn?'

Wie was er stom? Stip, die altijd te lui was om een condoom te gebruiken. En nu haar een beetje de schuld geven.

Ze wandelde van Repko's huis op de hoek van de Zeedijk boven het café van Rinus Vet via de Binnen Bantammerstraat naar de Binnenkant, waar Stip in het huis van antroposofen een vanillekleurige kamer had gehuurd.

Ja, want alleen in Utrecht blijven, dat zag hij ook niet zitten, hij moest toch in de buurt van Regien zijn? En die rare zolder, die ze had weten te bemachtigen, zonder gas, licht of water, die was nog in geen maanden klaar voor bewoning. Dus bivakkeerde hij tussen zachtgele muren, waarvan verondersteld werd dat ze een gunstige werking op zijn humeur en zieleleven zouden hebben.

'Stip, er zit niets anders op, we gaan maar trouwen.'

'We gaan maar trouwen?' Stip liep rood aan. 'Ik wil eerst zeker weten of dat kind wel van mij is!'

'Stip, dat kind is van jou, dat weet je best. En ik zie mezelf niet als ongehuwde moeder door het leven gaan. Laten we nou gezellig trouwen, je wilt toch niet bij me weg en ik eigenlijk ook niet bij jou.'

Zo werd er getrouwd. Repko, opgelucht dat Regien zijn vaderschap niet claimde, en tegelijkertijd diep beledigd dat zij de voorkeur aan die zonderlinge Stip gaf, betoonde zich genereus. Hij huurde uit pure dankbaarheid een rondvaartboot met een accordeonist, die het eigenaardige gezelschap van Stip en Regiens vrienden plus wat familieleden naar het stadhuis voer. Ook huurde hij een zaaltje inclusief een hors d'œuvre tegen gereduceerde prijs; de hors d'œuvre stond toch maar te bederven vanwege de afgezegde partij van een vijftigjarig bruidspaar - de mannelijke helft had er voortijdig de brui aan gegeven.

Ze hadden de goedkoopste trouwerij besteld, binnen twintig minuten was het jawoord gegeven. Haastig verlieten ze de trouwzaal, wat een flauwekul! Het gezelschap begaf zich weer in de boot, waar Repko de jenever koud had staan. Regien betreurde het dat haar reeds lang overleden moeder dit rare feestje niet meer kon bijwonen, haar vader met wie ze nauwelijks een band had, had bij verstek toestemming gegeven. Verdere familie had ze niet.

Stips ouders, gegoede gepensioneerden, waren wél aanwezig. Met zuinige monden zagen ze het bohémien-gedoe aan... nou had die meid het ook nog voor elkaar dat ze een kind van Stip kreeg.

'We eisen absoluut dat je op huwelijkse voorwaarden trouwt!' Dat was het eerste wat Stips vader had gezegd, toen Stip thuiskwam met het heuglijke nieuws. 'Met het oog op de erfenis.'

Zodat Regien met haar licht zwellend buikje, gehuld in twee regenjassen over elkaar vanwege de doordringende vrieskou, zich met Stip meldde bij de notaris. 'En waaruit bestaat uw bezit?' wilde die weten.

Regien dacht na. 'Een koperen doofpot. Een hutkoffer. Boeken. Fotoalbums...'

'Geen juwelen?'

Regien keek naar haar lege handen. Zelfs geen eenvoudig ringetje had er af gekund. Juwelen...

'Nee.'

'Waardepapieren?'

Ze schoot in de lach. 'Een spaarbankboekje met veertien gulden.'

De notaris haalde zijn schouders op, wat een raar stel. De ouders van de jongeman zeker bang dat die meid er met de erfenis vandoor zou gaan.

Regien voelde dat neerbuigende, het denigrerende van de man. Ineens schoot ze uit haar slof.

'Ik word fysiotherapeut. En ik begin later een eigen praktijk. En dan is het uitstekend, heel zinvol om op huwelijkse voorwaarden getrouwd te zijn!'

De notaris keek op van zijn schrijverij. Nou, er zat wel pit in de dame.

4

De huwelijksnacht was macaber. Repko's royale gebaar strekte zich uit tot het tolereren van Stips aanwezigheid in het logeerbed van Regien.

Zo lag het jonge paar daar; de bruid kotsmisselijk van zwangerschap en te veel sterke drank, de bruidegom slapeloos van de zorgen die zich nu boven zijn melancholieke hoofd samenpakten. Er was geen sprake van het consumeren van het verse huwelijk. Stip moest vroeg op om een college te bezoeken. Regien bleef liggen, terwijl ze toekeek hoe haar nieuwbakken echtgenoot zich aankleedde. Wat een magere sprinkhaan was het toch. Raar idee om een kind van Stip in haar buik te hebben. Leuk ook. Ze was dol op het animale van baby's, in het ziekenhuis voelde ze zich het meest thuis op de kinderzaal. Zonder afscheidskus verliet Stip haar, haastig, haastig. Zijn traag stromende vitaliteit maakte dat hij altijd laat was, hij was niet vooruit te branden.

Regien rekte zich nog eens uit, beneden hoorde ze de buitendeur. Nou moest Stip nog hollen om z'n trein te halen.

'Wil het jonge bruidje misschien een heerlijk ontbijt?'

Repko. O verdomme, ja, die was er ook nog...

Hij kwam binnen met een dienblad; thee voor

twee, beschuiten. Wat bizar allemaal, ze giechelde. Haar minnaar bracht haar thee op bed.

'Erg lief van je, Repko!'

Hij zette het blad met lege koppen op de grond en maakte aanstalten bij haar te gaan liggen, hij knoopte voortvarend zijn ochtendjas los.

'Repko, niet doen. Ik ben getrouwd!'

'Ha! Alsof iemand als jij daar iets om geeft! Kom, voor de laatste keer. Niet kinderachtig doen. Vanavond ben je in je eigen huis, dan is het afgelopen.' Vanavond zou het zijn afgelopen, die omhelzingen waarin zij optrad als huurling, een figurant. Zou hij dan nooit iets in de gaten hebben, vroeg Regien zich af, terwijl ze Repko's geweld lusteloos over zich heen liet gaan. Ze nam niet eens de moeite wat dan ook te veinzen, moest ie maar niet zo onhebbelijk tekeergaan.

Terwijl Repko zijn eindsprint inzette, hoorde Regien wéér de voordeur.

'Repko... er komt iemand de trap op!'

Christenezielen, dat was Stip. Stip die de trein had gemist. Stip, die nog even koffie wilde drinken.

Ze had nog nooit iemand zo snel van zich afgewenteld. Met een erectie als van een stier sloeg Repko zijn ochtendjas om, om bij de deur recht in de armen van Stip te lopen.

Stip, die niet achterdochtig van natuur was, maar ook niet op zijn achterhoofd gevallen, overzag het slagveld.

'Ik bracht de bruid een ontbijt op bed...,' stamelde

Repko, zich bukkend om het dienblad te pakken, daarmee zijn geheven lid verbergend, dat nu ook snel tot ruststand schrompelde. Hij schoot langs Stip naar de keuken, aan Regien overlatend de situatie recht te zetten.

'Ikke... ik had nét...'

'Je bedoelt, dat terwijl ik mijn hielen nog niet heb gelicht, jij alweer met Repko aan het donderjagen bent! Regien, als ik nog één keer zoiets merk, dan is het afgelopen tussen ons. Dan ontken ik mijn vaderschap!'

Regien boog deemoedig haar hoofd. 'Ja Stip, je hebt gelijk.'

Maar ze vond het wel raar, dat Stip ineens zo puriteins reageerde. Hij wist toch hoe de zaken stonden. Hypocriet was het ook. Zelf altijd ingewikkelde verhalen ophangen over heerlijke nymfen, waar hij mee in bus of trein had gezeten. Dijen, waar hij toevallig per ongeluk even aan geraakt had. Ach, Stip had toch zo zijn eigen opwinding. En dat gedoe met Repko, dat was gewoon de huur.

5

Ze betrokken een achterkamertje in een smalle straat in de oude binnenstad. Haar kale zolder had ze maar dóórverhuurd aan een medestudent.

De hospita was niet onvriendelijk. Bij wijze van service knapte ze tijdens een korte afwezigheid van het jonge paar de kamer op door de muren te beplakken met een fors bruinbloemig behangetje.

Repko misdroeg zich nog verschillende keren. Hij schreef Regien een briefje of ze hem op kantoor wilde bellen en zo forceerde hij een bezoek van haar aan zijn vrijgezellenwoning. Ogenblikkelijk begon hij haar te betasten, een zwangere vrouw, daar had hij nou wel eens zin in, dat was weer eens iets anders.

'Nee, Repko, nee, alsjeblieft niet, ik ben er absoluut niet voor in de stemming. Laat me nu maar met rust, het is verder toch ook niets tussen ons.'

Hij was beledigd, kwaad ook. Dat kreng, wie was er nou nota bene bij hem in bed geklommen? En dat zat nu de preutse trut te spelen?

Koeltjes nam hij afscheid, met iets van spijt zag hij haar zware lichaam de trap afgaan.

Voor straf zorgde hij, dat ze met Kerstmis een pakket voor de armen kreeg gestuurd van het kerkbestuur, waarin hij zitting had.

Stip en Regien kraaiden van pret bij het uitpakken:

een rookworst, een kilo suiker, een pak spliterwten... Als je hen wilde beledigen moest je iets heel anders bedenken.

Ze hadden het niet slecht. Wel arm, maar niet slecht. Er kwam een eenvoudige wieg te staan in een hoekje, tussen de boekenkast en de wastafel. Regien kocht een goudkleurig gordijnringetje bij de Hema, ze kreeg genoeg van het gestaar in winkels naar haar dikke buik, en dan van haar buik naar haar lege handen. 'Juffrouw', zo werd ze nadrukkelijk aangesproken. Ze vond het heel burgerlijk allemaal, maar ze wenste er geen last van te hebben.

's Avonds studeerden ze beiden. Regien zat op het bed, kussen in haar rug gepropt, Stip in de enige leunstoel die het vertrek bevatte. Vaak zette Stip de oude radio aan; vioolconcerten, barokmuziek, jazz vormden passende achtergrond voor hun geestelijke activiteiten. Voor het slapen gaan las hij haar weer voor, nu uit Winnie de Pooh. Het kind in haar buik schopte dag en nacht, vol verbazing keken ze samen naar die buik, die golfde en rilde van het leven daarbinnen.

Danny werd geboren op een mooie dag in juni. Een bevalling, die ondanks alle kennis die Regien tijdens haar studie had opgedaan over het ontspannen gedurende het baren, anderhalve dag duurde. Achteneenhalf pond...

Het leven ging verder: de aanwezigheid van dat kleine mensje bracht kleine veranderingen. Uitslapen was er niet meer bij, evenmin als nachten lang doorhalen. Regien werkte hard, ze liep stage, studeerde, deed tentamens. Stip lette meestal op het kind, hij studeerde thuis. Even leek het erop, of het leven zo eeuwig verder zou gaan.. werken, studeren, kind verzorgen. Maar toen Regien gewend raakte aan de regelmaat, kwam er weer energie vrij voor verlangen. En nu zei ze niet meer 'later' tegen zichzelf. 'Nu' moest er iets gebeuren. Ze was eraan toe, ze stond open voor avontuur, ze was een beetje uitgehongerd.

Zo raakte Regien Gagel-de Kooning tot overspel. Maar hoe overspelig ze ook was, ze werd geen bedriegster. Stip moest wel even wennen, maar zag het gedrag van zijn vrouw tegelijkertijd als een carte blanche voor eigen uitstapjes.

Regien deed het met een aantal fysiotherapeuten in opleiding en enkele afgestudeerden. Ook was er een kandidaat-notaris, met wie ze even iets had. Maar al dat erotisch spektakel zat haar iets te dicht op de huid, het moest niet in het vaarwater belanden van haar gezins- en werkregelmaat. Zodat ze uiteindelijk een los-vaste verhouding begon met Joost. Joost voer op de grote vaart, dat was werkelijk heel comfortabel.

Los-vast. Stip voor de veilige gezelligheid, Joost voor het verlangen en de vervulling daarvan.

Was er nog een later?

6

Na jarenlang in groepspraktijken en ziekenhuizen als afhankelijk werknemer haar vak te hebben uitgeoefend, besloot Regien de sprong te wagen en voor zichzelf te beginnen. Dertig was ze nu en ze voelde zich capabel om als zelfstandig Mensendieck-therapeut te opereren.

Na lang zoeken vond ze een geschikt benedenhuis in de Valeriusstraat, waarvan de huurprijs viel op te brengen. Ze richtte de benedenverdieping als werkruimte in, haar privé-leven speelde zich af op de eerste verdieping; in de woonkamer maakte ze een keukenhoek, achter werd geslapen. Haar zoon kreeg het zijkamertje, zo paste alles precies.

Op de vloer lag sober, maar vrolijk rood zeil, witgestucte muren kregen fleur door ingelijste affiches. Het gebarsten plafond werd weggewerkt achter blonde schrootjes. Ze had een wervend schrijven opgesteld en gestencild, en zo wist het huisartsenbestand in Amsterdam van haar bestaan.

Regien zat achter het kleine Pastoe-bureau en voelde zich los van alles, die eerste maandagochtend van haar zelfstandig ondernemerschap. Ze keek het kale vertrek rond; een behandeltafel met een reuze formaat keukenrol (iedere patiënt een schoon stuk papier onder z'n lijf), een wandrek, twee lange spiegels, gemonteerd op verrijdbare onderstellen. Een boekenplank met vakliteratuur. Een skelet, compleet met schedel.

Geen dure apparatuur, infrarood-lampen, paraffinebaden, elektrische toestellen. Geen modieus gedoe. De naakte werkelijkheid, daar moest ze het mee doen. Ze keek naar de telefoon, misschien dat deze door krachtig positief denken zou gaan rinkelen.

Flarden muziek drongen van boven door het plafond; Stip zat weer eens in een barokke periode. Voor Regien waren al die suites, clavecimbel-, hobo- en andere concerten meezingers geworden, ze kon alles moeiteloos mee-hummen en -fluiten. Ze had er niet écht de pest aan, maar ze wist het nu wel. Nu moest Stip maar weer eens een stukje Bartók of Strawinsky draaien.

Tegen twaalf uur ging ze naar boven om een boterham klaar te maken, haar zoon bleef over op school.

'En... hoe gaat het daarbeneden?'

Ze keek van opzij naar Stip. Hoorde ze sarcasme?

'Stip... wat wil je nou? Dat het hier ogenblikkelijk vol zit met patiënten? Dat zal heus nog wel even duren.'

Het duurde precies vier dagen. Op vrijdagochtend rinkelde de telefoon, een huisarts uit de Rivierenbuurt, Flip de Swaan, ze herinnerde zich hem vaag uit het Wilhelmina Gasthuis waar hij indertijd coassistent was. Hij zat met een jongetje van zeven jaar, wiens hoofd na een aanval van acute reumatische koorts scheef stond. Of zij dat wilde corrigeren.

Regien probeerde niet al te enthousiast te klinken, deed of ze in haar agenda een gaatje moest zoeken. Maar de huisarts drong aan op spoed; zo'n jong en snel groeiend kind, er mocht absoluut geen tijd worden verspild. Zodat Regien diezelfde middag nog een plekje vrij maakte!

's Middags belde De Swaan nogmaals. Een mevrouw die moest revalideren na een heupoperatie, en een toezegging van een inoperabele hernia.

Blij over deze stroom van kreupelen die haar richting uit kwam, stofte Regien voor de zevende keer die week nog maar weer eens het wandrek af, bekeek zichzelf tevreden in de lange spiegel, waarin binnenkort haar cliëntèle zou worden geconfronteerd met hun scheef zittende ledematen, en haalde vervolgens twee haringen met uitjes voor bij de lunch. 'En Stip, wil je alsjeblieft, alsjeblieft vanmiddag, als mijn eerste patiënt komt, de pick-up niet zo hard zetten?'

Binnen een half jaar bloeide en groeide Regiens praktijk op een wijze waarvan zij niet had durven dromen. Nu zij geheel op zichzelf was aangewezen bij het beoordelen van de problemen van de manke medemens, ontwikkelde er zich iets bijzonders in haar. Of het nu intuïtie, intelligentie of charisma was, of misschien een gelukkige combinatie van die eigenschappen, ze wist haar patiënten onder een soort betovering te brengen. Ieder woord, ieder advies dat zij hen toevoegde namen zij diep in zich op en handelden ernaar.

Charisma...

De huisartsen belden met de specialisten: neurologen, orthopedisch chirurgen, psychiaters, en spraken over het buitengewone vermogen van Regien de Kooning om pijn te verhelpen en hyperventilatie te doen verdwijnen door schijnbaar eenvoudige oefeningen. En er was nog iets bijzonders aan haar therapie; zij raakte haar patiënten niet aan. Wél liet zij het skelet zien, of plaatjes van spiergroepen, zodat de mensen inzicht en begrip kregen. Kortom, met een minimum aan middelen wist zij de beste resultaten te bereiken.

'Het spierkorset!' riep Regien, 'het draait allemaal om het spierkorset. Dat moet sterk, maar bovendien ook soepel worden gemaakt. Daarmee houden we al die half vergane, versplinterde, gefrustreerde, gedegenereerde en scheefgegroeide botten in het gareel. Zo geven wij aan klem zittende zenuw- en bloedbanen weer ruimte! En dus lieve mensen, aan de slag! Denk aan het devies van mevrouw Mensendieck: "Don't depend!"'

Ze deed alle oefeningen persoonlijk vóór en conserveerde op die manier tegelijkertijd haar eigen souplesse.

Eigenlijk was haar leven nu zo ongeveer wat zij er zich vroeger van had voorgesteld.

Behalve de liefde. In de liefde was het knudde. Haar liefdesleven was een leeggelopen aquarium, een ondersteboven geplante hyachintebol, een verstopte uitlaatpijp.

7

'Nu inademen, ja... ja... heel goed, met de buik. En nu door de mond langzaam, langzaam uitademen... goed zo, mevrouw Sternheim. Doet u deze oefening nu ook zelf thuis, als u niet kunt slapen. En liggen uw handen nu wel prettig?' Regien boog zich over de oude vrouw, die zich veel te verbeten probeerde te ontspannen. Al die verkeerd gebruikte energie, ze werd er soms zelf bekaf van!

'U moet zich zwaar maken, denkt u zich eens in, uw hoofd weegt zeveneneenhalve kilo! Laat dat zware hoofd nou maar eens lekker wegzakken in het kussentje... ja, dat is al veel beter. En nu gaan we de oefening uitbreiden. Bij het inademen trekt u uw voeten gestrekt omhoog, de...'

Telefoon. Het werd toch tijd, dat ze eens een antwoordapparaat aanschafte. 'Ik kom zo bij u terug...' Regien repte zich naar het toestel, dat de gewijde concentratie zo schril doorbrak.

'De Kooning.'

Het was De Swaan.

'Sorry Regien, dat ik je stoor maar ik heb iets gedaan waarvan ik hoop, dat je het me niet kwalijk neemt. Ik heb je geïntroduceerd bij de trainer van Patrocles. Ik heb hem verteld van je opvattingen over het spierkorset, over je successen bij de patiënten, kortom over je werkwijze. Hij is geïnteresseerd. Als je er iets voor voelt, zal ik je zijn telefoonnummer geven.' Regien zuchtte, maar onderdrukte die zucht onmiddellijk... Patrocles. Ze wist niets van voetbal, maar de naam van Patrocles, die was gemeengoed van het volk geworden. Eredivisie, Europacup. Topsport!

Voor zover zij wist was er nog geen vrouw doorgedrongen in de begeleiding van een voetbalclub, dat was een hermetisch gesloten mannenwereld...

'Nou Flip, fantastisch dat je m'n naam hebt genoemd. Ik zal zeker bellen. Ik ben nu bezig, maar ik laat 't je meteen weten, als ik die man heb gesproken. Hoe is zijn naam?'

'Zwaarmaker, Titus Zwaarmaker.'

'Oké Flip, ik hang je!'

Ze keerde terug naar haar patiënt, die zich tijdens het telefoongesprek zo geweldig had ontspannen, dat ze zachtjes lag te snurken. Regien grinnikte in zichzelf. Sommige patiënten begonnen al te gapen als ze haar zagen en anderen verlieten meestal luid geeuwend de behandelkamer! De theorieën van Bess Mensendieck bewezen hun onsterfelijke kracht. Dat wil zeggen: Regien bracht die theorieën op ongekend geïnspireerde wijze tot leven!

'Mevrouw Visser, wakker worden! Anders is uw tijd om!' Regien schudde de ronkende massa zachtjes heen en weer.

'Húhh?' Mevrouw Visser schoot verschrikt overeind. 'Sliep ik?'

'U snurkte!'

'Gut, als ik dat 's nachts nou eens kon. Kan je nagaan hoe moe ik ben, dat ik hier zo maar op de grond ga liggen pitten...'

'Als u de oefeningen thuis net zo goed uitvoert, als hier bij mij, dan gaat het gegarandeerd werken. Geloof me.'

Traag kwam mevrouw Visser overeind, Regien stak geen hand uit. Zoveel mogelijk zelf laten doen. Puffend en steunend trok de dikke vrouw haar panty weer aan, de gerimpelde rok, de vormeloze trui. Tegelijkertijd hield ze Regien op de hoogte van de spanningen in haar huwelijk. Meneer Visser deed het nooit meer met haar, ze had zo haar vermoedens.

'U zou iets aan uw figuur moeten doen!' Regien was streng, zachte heelmeesters waren in dit geval uit den boze.

'Ik heb alle diëten van de wereld gevolgd. Net, vorige week heb ik de ahornsiroop-kuur geprobeerd. Nou, daar ga je ook van over je nek. Twee dagen heb ik het volgehouden... Toen heb ik mezelf getroost met een verse appeltaart.'

'Met slagroom?' De hele Spaanse Inquisitie klonk in Regiens stem.

'Met slagroom!' Mevrouw Visser stak uitdagend haar dikke buik vooruit.

'Dan heb ik geen medelijden met u.'

'Ik ga altijd vreten als ik ongelukkig ben...' Er klonk vocht in de stem van mevrouw Visser.

'Waarom gaat u niet zwemmen? Dan worden uw

spieren weer gestroomlijnd. En u heeft tijd genoeg.'

'Tja.' Mevrouw Visser schudde mistroostig haar hoofd. 'De energie, daar ontbreekt het me aan. Lusteloos, zo voel ik me. En dan 's nachts niet slapen. En maar piekeren. Tom ligt maar te pitten naast me, heeft geen idee.'

'Mevrouw Visser, laten we beginnen met het begin. Als u deze week de oefeningen trouw volhoudt, dan praten we volgende week verder.' Kordaat maakte Regien een eind aan de sessie.

Terwijl ze mevrouw Visser uitliet, dacht ze aan Stip. Stip deed het ook niet met haar. Maar zij deed het wel. Met Joost. Dus regelmaat zat er niet écht in.

Werktuiglijk liet ze haar volgende patiënt binnen, een heer met lage rugpijn. Als ze statistieken bij zou houden van het intieme, seksuele leven van haar patiënten, dan zou je kunnen vaststellen dat de werkelijkheid er anders uitzag dan het traditionele plaatje van al die stellen en huwelijken.

De heer met lage rugpijn was een druk type, hij luisterde bovendien voornamelijk naar zichzelf, dus hij had gelukkig niet in de gaten, dat Regien een beetje afwezig reageerde op zijn verhalen. En zelfs zonder zich voor de volle honderd procent aan haar patiënt te geven, was zij toch in staat ook deze drukbabbelende-lage-rugpijn binnen zeven minuten in een verrukkelijke slaperige ontspanningstoestand te praten.

Zo wisselden de pijnlijders, de kwakkelenden, de gefrustreerden, de manken elkaar uur na uur af. Om halfzeven verliet de laatste patiënt het huis. Regien haastte zich naar boven, waar Danny languit voor de tv lag en Stip treurig voor zich uit keek.

Terwijl ze geroutineerd de zuurkool stampte, de rookworst nét tegen de kook aan liet wellen, het ontbijtspek op een laag pitje liet kronkelen tot bruin en krokant, dacht ze aan Titus Zwaarmaker, de trainer van Patrocles. Ze voelde haar maag zenuwachtig samentrekken. Na het eten zou ze bellen. Topsport, als ze naam zou maken door de begeleiding van voetbalsterren, dan zou ze grof geld kunnen verdienen. Een huis kopen. Kleren...

'Eet je mandarijn op, Danny! En je moet naar de tandarts, lieverd. Stip, zou jij morgenochtend een afspraak willen maken?'

Plicht. Haar leven bestond uit plicht en werk. Joost was naar de Perzische Golf, dat duurde nog wel drie maanden, voor er in die sector weer wat te lachen viel. Enfin, gewoon doorleven, niet zaniken. En nu ging ze Zwaarmaker bellen...

8

'Het zal niet eenvoudig zijn...'

Regien knikte, dat had ze zelf ook bedacht.

'We krijgen met weerstand te maken.'

'Ongetwijfeld.'

'Maar ik heb het volste vertrouwen, dat u het aankunt.'

Titus Zwaarmaker sloeg zijn joggingbroek-benen over elkaar. Zijn beleid was voortdurend aan kritiek onderhevig, maar zolang er gescoord werd, gewonnen, was hij de baas. En gescoord werd er! Regien observeerde hem nauwlettend. 'n Intelligente macho, hij rook ook lekker. Haar reukzenuwen waren buitengewoon ontwikkeld, het behoedzaam ruiken aan haar patiënten had haar theorieën doen ontwikkelen over vermogen tot gelukkig zijn, kans op genezing, geestelijke souplesse van haar klantjes. In een schriftje hield ze haar conclusies bij; Piet V.: ruikt zuur. Is ook zuur. Weinig progressie. Karin T.: ruikt zoetig, bloed waar muggen op afkomen, is niet assertief genoeg.

'Voor ik akkoord ga met uw voorstel wil ik garanties. Ik wil een proeftijd, niet alleen van de kant van Patrocles, maar ook voor mezelf. Binnen die proeftijd wens ik ongestoord te werken, zonder commentaar. Mijn methode is in vele ogen controversieel, ik wil niet voortdurend geconfronteerd worden met kritiek. Ik heb niks tegen kritiek, maar ik wil eerst laten zien, wie ik ben. Daar heb ik tijd voor nodig.'

Titus Zwaarmaker keek met glimmende ogen naar Regien. Fantastisch! Laat die maar schuiven. Natuurlijke autoriteit, daar was hij dol op. En nog geen woord over de poen, wat een wijf! Met haar haalde hij zonder meer de wereldpers. 'Vrouw begeleidt top-elftal!' Hij zag de koppen al. Daar zou Mart Smeets niet van terug hebben... met dat irritante buktoontje, dat hij altijd tegen sportvrouwen aansloeg.

'Ik weet niet of u uw praktijk kunt aanhouden, deze baan vergt veel tijd.'

'O, maar dat is een conditio sine qua non. Mijn praktijk, dat is mijn kweekplaats, daar kan ik mijn theorieën ontwikkelen en toetsen.'

'Daar zullen we dan iets op moeten vinden.' Prima, prima. Karakter. En nog steeds geen woord over geld.

'Meneer Zwaarmaker,' – Regien boog zich vertrouwelijk naar hem over – 'er is nog iets wat ik u moet bekennen. Ik weet absoluut niets van voetbal. Ik heb er niets mee, als sport.'

'Des te beter!' Zwaarmaker grinnikte. 'Dan hoef ik met u niet te discussiëren over het spel.' God zij gedankt, geen betweterij van die kant. Hij had wat dat betreft zijn handen al vol aan het bestuur.

'Mevrouw De Kooning, nog één detail.'

'Ja?'

'Uw honorarium.'

Tja, daar had ze natuurlijk over nagedacht. Maar ze had geen idee.

'Ja, ja natuurlijk. Ik denk, dat u wel een budget voor deze post heeft?' Dat zei ze altijd, als ze geen idee had. Laat de tegenpartij maar beginnen met bieden. Dan kon ze altijd nog zuinig kijken.

Maar toen Zwaarmaker zijn portemonnaie, of liever gezegd de portemonnaie van Patrocles op tafel legde, kon ze met moeite een opgewonden geluid smoren. Goeie God, dat was dus topsport!

Stip was minder enthousiast. Voetbal; brood en spelen. Gadverdamme, kreeg ie dat over de vloer. Regien had toch een slechte smaak!

'Stip, zit nou niet zo sjacherijnig te kijken. We kunnen volgend jaar lekker met vakantie. Ik ga een smak geld verdienen. En ik vind het een kick van de bovenste plank, dat ze me hebben gevraagd voor die baan. Het betekent toch ook, dat ik een reputatie begin te krijgen?'

Tweederangs, dacht Stip hooghartig. Regien was altijd tweederangs bezig. Enfin, hij zou zich distantieren, het enige wat erop zat...

Regien haalde haar schouders op. Dat elitaire gedrag van Stip. Waar ontleende hij in godsnaam het recht aan?

Vastbesloten zich niets van Stips dédain aan te trekken, ging ze met Danny lekker naar de film, liet Stip in z'n sop gaar koken. 's Avonds laat, nadat ze haar administratie had bijgewerkt, en Stip na het drinken van een groot aantal jonge borrels naar bed was afgetuft, schreef ze Joost. Joost zou volgende week in Dubai aankomen, dan was die brief mooi op tijd.

Hield Joost eigenlijk van voetbal?

9

'Titus, leg me alsjeblieft eventjes uit, wie zijn nou de mannen van Bayern München?'

'De roodbroeken met de rooie shirts.'

'Wat vreselijk verwarrend, met dat rood-wit van Patrocles.' Regien had de grootste moeite enig inzicht in de structuur van voetbal te krijgen. En hoe leerde je in 's hemelsnaam al die spelers kennen. Naar haar smaak was het maar een zootje ongeregeld dat daar met z'n tweeëntwintigen achter een bal aan holde.

'Waarom heeft die keeper blauwe kleren aan?'

'O, dat is de persoonlijke opvatting van Lomme.'

'En de rest moet wel alles uniform dragen?'

'De keeper is de uitzondering. Alle keepers hebben hun eigen bijgeloof met betrekking tot de kleur van hun outfit. Lomme gelooft heel sterk in helderblauw, hij denkt dat blauw als een magneet op de bal werkt. Maar als hij twee ballen achter elkaar heeft gemist, zien we hem wel eens in geel spelen. Nooit langer dan één wedstrijd, dan keert ie weer terug naar blauw.'

Ze keek naar Lomme, de keeper. Wat een boom van een kerel. Blonde krullen, brede schouders, keiharde kuiten zo te zien. Smakelijk.

Regien besloot eerst maar eens op haar gemak alle

voetballers op hun uiterlijk te inventariseren, het spel liet ze voorlopig het spel. Titus had ogenblikkelijk in de gaten, dat de nieuwe aanwinst de bal niet volgde.

'Je moet wel opletten, hoor.' Z'n toon was vaderlijk.

'Ik let op. Maar ik wil je mannen eerst een beetje leren kennen. Nou ja, herkennen. Op 't veld dan.'

'O ja, natuurlijk.' Hij moest niet op haar nek gaan zitten. Gewoon maar even laten gaan. Titus nam zich voor z'n mond te houden, hetgeen niet meeviel.

Regien liet haar blik dwalen. Wat een schitterende kerels waren dat! Geweldig goed ontwikkelde bilpartijen, heerlijke dijen en kuiten, ongefrustreerde schouders. En dat bewegen, dat springen hóóg tegen elkaar op, het zweven door de lucht in de meest uitbundige spreidstanden, het tarten van de zwaartekracht... Kijk, die knul daar, hoe hij de bal wégkopte... oei... Regien voelde bijna zelf het kraken van de zesde en zevende wervel, als dat maar geen slijtage opleverde! Enfin, dit was allemaal nog jong van bot en spier, wat hier zo genadeloos tekeerging. Er zat genoeg rek in die lichamen om niet bij iedere belediging of kwetsuur direct in de vernieling te raken.

Eventjes droomde ze weg... hoe zou het zijn in de armen van zo'n bink te liggen... Zouden die jongens net zo natuurlijk en toch uiterst geraffineerd met vrouwen omspringen als ze de bal behandelden? Spierballen, ééNmaal had ze gevreeën met iemand, die fanatiek volleybalde, ja, dat had wel behoorlijk stevig aangevoeld. Maar het had in de verste verte niet geleken op wat ze nu zag hollen.

'Goal!!!'

Regien werd ruw uit haar erotisch getinte dromerij opgeschrikt. Titus maakte een luchtsprong en stompte haar vervolgens hardhandig op haar rechterschouder.

'Eén nul! Eén nul! Mooi, Krijnse, heel mooi. Wat een voorzet van Karel. Goeie christus.'

Regien keek naar de Duitse keeper, die in somber zwart gekleed, mismoedig zijn hoofd schudde. In het andere doel stond Lomme even heel relaxed... even geen zorgen. Maar de Duitsers, tot kookpunt opgejut door dit eerste doelpunt in hun nadeel, gingen tot de aanval over.

Titus lette nu niet meer op Regien, gebukt voorover hangend volgde hij het spel, zijn ogen kleefden aan de bal. Af en toe schoot zijn linkerarm met gebalde vuist schuin de lucht in: 'Godverdegodverdegodver!' Van lieverlee keek Regien nu méé, haar ogen kregen greep op het spel, ze kreeg een heel klein beetje idee hoe het zat met dat voetbal.

Het bleef, dank zij Lomme, die zelfs een strafschop tegenhield, tot de pauze één-nul voor Patrocles. Titus bracht haar naar de bestuurskamer. Hij stelde haar haastig voor en verdween naar de kleedkamer van de jongens. Verloren zat Regien achter een sherry, waarom had ze nou sherry genomen? Dat bocht dronk ze nooit. De bestuursleden lieten haar ronduit links liggen, ze voelde zich zonder Titus' beschermende aanwezigheid erg ongewenst. Bij de volgende wedstrijd zou ze Danny meenemen.

Er rinkelde een luide bel ten teken, dat de rust voorbij was. Ze wachtte tot het bestuur met de opgetutte vrouwen was opgekrast. Langzaam stond ze op en liep terug naar haar plaats. Daar was Titus. Hij straalde, zijn wangen gloeiden rood. 'En nu de tweede helft, het moreel is uitstekend!'

Het spel werd hervat.

Eventjes dacht Regien, dat ze krankzinnig werd. Wat was er nu gebeurd? Iedereen liep door elkaar. Waar was Lomme? Verrek, Lomme stond in het andere doel!

'Wat is er gebeurd?' Ze stootte Titus aan.

Hij keek haar niet-begrijpend aan, zag haar verbazing. Er ging hem een licht op. 'Er is gewisseld, mevrouw!' Jolig sloeg hij haar op de rug. 'Bij voetbal wordt er na de rust gewisseld.'

Regien kon zich voor haar kop slaan, wat was ze toch een oen.

'Sorry,' mompelde ze verlegen, maar Titus had al geen oog meer voor haar. Het spel golfde heen en weer over het veld. Het werd adembenemend. Het publiek hief spreekkoren aan: 'Patrocles, Patrocles, leer die moffen eens de les!'

Wat een haatdragend volkje, dacht Regien, wie had het nu nog over moffen? Maar ondanks deze kritische waarneming bespeurde ze bij zichzelf ook een groeiende partijdigheid, een identificatie met de spelers van Patrocles, een opwinding die maar één ding voorstond: de tegenstander uitschakelen, mores leren, winnen, winnen, winnen!

Het bleef één-nul. Titus was meer dan tevreden.

'Ga je nu even mee naar de kleedkamer? Dan kan ik je voorstellen.'

Zenuwachtig liep ze achter hem aan, de catacomben van het stadion in.

Hij zwaaide de kleedkamerdeur open... damp, zweetlucht sloeg haar tegemoet. Maar dit was lekker zweet, opwindend zweet, niks geen zieke lucht, zoals in haar praktijkkamer wel eens hing na de wanhopige inspanningen van knarsende gewrichten en stroeve spieren.

De voorzitter schonk champagne, de spelers zaten kletsnat met handdoeken om bovenlichamen op de banken langs de wand. Uit een douchecabine kwam stoom, ze zag onder het halve deurtje twee harige kuiten. Regien kreeg een glas in haar hand geduwd.

'Mannen, mevrouw. Ik wil even het glas heffen op de overwinning. Niet alleen een letterlijke overwinning, maar bovenal een mentale overwinning. Deze vriendschappelijke wedstrijd is de smaakmaker voor de komende wedstrijden om de Europacup. Ze zullen in het oosten behoorlijk rekening met ons moeten houden!'

Titus gaf haar een vette knipoog. Hij verhief zijn stem: 'Mannen, mag ik ook even de aandacht? Hiernaast mij staat mevrouw Regien de Kooning, de nieuwe begeleidster van ons team!'

Er viel plotseling een stilte in de kleedkamer. Regien voelde alle ogen op zich gericht. En dat deed haar groeien, ze rechtte haar rug en keek onbekommerd de ruimte rond.

'Heren, ik heb jullie vanmiddag zien spelen. Het is allemaal heel nieuw voor mij, maar ik ben diep onder de indruk. Ik hoop en geloof, dat ik in de toekomst voor jullie van belang kan zijn.'

Het waren de juiste woorden. Niet te veel, niet te weinig, precies goed. Er klonk een spontaan applaus. Zelfs de sceptische voorzitter zette zijn glaasje neer en klapte.

Charisma, dacht Titus Zwaarmaker, als ik het niet had gedacht. Dat wijf heeft charisma. Ze pakt ze in voor ze nog heeft uitgepakt!

10

Nu lag ze met Joost in bed en dacht aan Lomme.

Stip was volledig op de hoogte van haar escapades, de wonderlijke uitstapjes naar derderangs hotelletjes door het hele land. Er lag altijd griezelig vast tapijt op de vloer, er was altijd een ingebouwde douchecel met glibberzeil, waarop je je nek brak. En bij het ontbijt was er altijd een groot wit tot snot gekookt ei. Een plak witbrood, een plak bruin, een snee ontbijtkoek, een beschuit: Hollands ontbijt.

Goedkoop, als het maar goedkoop was. Joost was niet van plan geld uit te geven aan de vrouw van een ander. Het was leuk om zo iets mee te maken, maar het mocht niks kosten.

Het kon Stip niks schelen dat ze met Joost naar bed ging. Het liet Stip koud. Stip las Kant en Hegel, luisterde naar Bach en speelde af en toe zelf ook een deuntje op zijn viool. 'Was het leuk?' informeerde hij zonder uit z'n boek op te kijken.

Was het leuk?

Het was vooral hitsig. Botsende ontmoetingen, hele nachten doorhopsen met een zeeman die weer eens een haven aandoet. En als ze niet in bed lagen, maakten ze ruzie. Ze accordeerden niet. Maar ze zag wel heel wat van Nederland. Dit soort hotels bevond zich vooral in Nieuwersluis en Bussum, Paterswolde en Weert. Joost reed haar in zijn Toyota naar deze naargeestige plekken met de directheid van een postduif; hoe vaak zou hij deze pleisterplaatsen eerder hebben aangedaan, vroeg Regien zich af. Maar eenmaal aangeland in zo'n kamer met schuin dak en wasbak wist ze niet hoe vlug ze de kleren van het lijf moest laten vallen en onder de ellendige paardedeken kruipen om daar weer verder te borduren aan deze eigenaardige relatie.

Joost lag op zijn rug en sliep, eindelijk eventjes moe. Of Regien nu haar ogen dicht deed of open, Lomme sjouwde over haar netvlies. Lomme, in zijn karakteristieke half gebukte houding, klaar om de bal van de tegenpartij in de magneet van zijn gespreide armen te vangen.

Als Lomme nu maar lang genoeg zo staat, dan krijgt hij vanzelf lage rugpijn, dacht Regien hoopvol. En dan komt hij vanzelf bij mij terecht. En ik zal hem dan van zijn lage rugpijn afhelpen. O, hij zal nergens meer last van hebben!

Maar Lomme was zo gezond als een vis. Lomme zag haar nooit staan, hij verdween altijd direct na de wedstrijd met een spectaculair blond stuk in zijn vuurrode Porsche.

Joost werd weer wakker. Energiek sloeg hij zonder enige vorm van voorspel zijn linkerdij over Regien, potverdorie die zeelieden hadden me toch een energie van al die zeelucht!

Gedwee deed ze maar weer mee, maar zelfs als ze haar ogen heel stijf dichtkneep kon ze bij deze bewegingstherapie Lomme niet oproepen. Het had nog het meest weg van haastige ochtendgymnastiek.

Waar ben ik mee bezig? vroeg Regien zich wel eens af, tussen het harde werken, het koken en boodschappen doen, het slapen naast Stip en het vrijen met Joost door. Ik was toch iets van plan in dit leven? Met de liefde? Ik was toch op zoek naar de Grote Liefde? Wat is er toch fout gegaan? Waar is het uit de hand gelopen? Bestaat de Grote Liefde? Of is er alleen maar Geiligheid en Genegenheid. Moeten we het daarmee doen? En dan droomde ze dat ze achterop de fiets van Joost zat. Hij fietste naar de zee, tenminste dat was de bedoeling. Maar ze kwamen nooit verder dan een sloot begroeid met kroos.

'De zee!' riep Regien. 'Je had beloofd naar zee te fietsen!'

Joost gaf geen antwoord, lachte alleen schaterend, stapte af en drukte haar tegen de grond. Ze werd wakker met haar dat plakte in haar nek. Waar was nou toch de zee?

11

De samenwerking tussen Regien de Kooning en FC Patrocles was een succes. Twee keer per week gaf Regien de voetballers anderhalf uur training. Ze genoot als ze zag hoe haar werkwijze werd opgepikt en uitgewerkt; de behoefte van haar pupillen om optimaal gebruik te maken van hun talent liet hen met grote intuïtie haar aanwijzingen absorberen.

Zwaarmaker zag dit alles handenwrijvend aan, dat het zo makkelijk zou gaan had hij niet verwacht. Zelfs die lastige bestuursleden moesten toegeven dat het werk van Regien zoden aan de dijk zette; er werd uitsluitend op winst gespeeld, verder dan een 'gelijk spel' zakte Patrocles dit seizoen niet.

Naast de algemene training praatte en oefende Regien ook nog individueel met de jongens die daar behoefte aan hadden. Eerst meldde niemand zich op haar speciaal voor dat doel ingestelde spreekuur. Maar toen Joep Krijnse, de spits, een beenblessure opliep, waar hij wel vlug van genas, maar waaraan hij een raar soort faalangst overhield, zich op aandringen van Titus bij haar meldde en Regien hem door ontspanningsoefeningen en een stevige dosis haptonomie weer in zijn natuurlijke zelfverzekerde ritme had gebracht, was het hek van de dam.

'Wat doet ze dan met je?' was de vraag in de kleedkamer.

'Of doe jij iets met haar?'

''t Is toch een lekker wijf, hebbie wat geprobeerd?' Obscene suggesties maskeerden hun onzekerheid.

Krijnse bracht verslag uit. 'Ik val bij d'r in slaap.'

Het gelach en gejoel was niet van de lucht. 'Neemt ze je dan mee naar bed?' Krijnse bleef nuchter. 'Ik moet op de grond liggen. Met kussens onder m'n handen en m'n kuiten.'

'Op de grond, ze doet het op de grond!'

'Nee, luister nou effe. Ze geeft je het gevoel van je eigen omtrek. De kracht die in je huist. Ik kan het niet zo goed onder woorden brengen, maar ik voel me weer tof!'

Tof. Daar ging het om, dat de jongens zich tof voelden. En dat gevoel schonk Regien ze in hoge mate.

En nu lag Lomme dan op de grond, op het dunne matje. Zorgvuldig had Regien de kussentjes onder zijn kuiten en z'n onderarmen geschikt; onder zijn hoofd een dun opgerold handdoekje. Spanningshoofdpijn. Als Lomme meer dan twee ballen doorliet in één wedstrijd, kreeg hij last van gruwelijke spanningshoofdpijn. Daar wist Regien wel raad op.

Regien zat op haar kruk en moest zich met alle macht concentreren op de instructies. De maanden die ze nu met het elftal en de reservespelers werkte, had ze haar uiterste best gedaan niets te laten merken van de natuurlijke affectie die ze voor Lomme voelde. Misschien was ze in haar pogingen te doen of hij haar volkomen koud liet wel iets té koel geweest.

Nu, als door een godswonder, lag hij hier aan haar voeten, uitgestrekt in zijn volle lengte, de ogen gesloten, weerloos, in volledige overgave aan haar, Regien!

'Rustig inademen...'

Ze hoorde zichzelf de overbekende handelingen opsommen, uitleggen, met zachte drang bevelen. Het kostte grote moeite haar stem in bedwang te houden, ze voelde zich als een hoogspanningskabel die bliksem ziet naderen.

Lomme had niets in de gaten, hij was de onbevangenheid in persoon. Lomme lag daar maar en dacht uitsluitend aan zijn dreunende koppijn, die onherroepelijk opkwam als hij slecht keepte.

En daarom onderwierp hij zich aan Regien. Als zijn collega's hem niet hadden weten te overtuigen, zou hij hier voor geen prijs op de grond zijn gaan liggen om zich nota bene door een vrouw een beetje te laten vertellen wat ie moest doen!

Of was er misschien toch iets meer, dat hem zo heerlijk deed wegzakken op die dunne mat met de zachte kussentjes. Was het de stem van Regien, die zenuwknopen en -uiteinden in hem tot trilling bracht, trillingen die verder gingen dan het normale ontspanningsritueel.

'Nu de bilspieren aanspannen, inademen, de bilspieren aangespannen houden en langzaam door de mond uitademen... inademen en de schouders aanspannen... langzaam door de mond uitademen. De armen en de handen aanspannen, langzaam uitademen. En dan tot besluit het gezicht spannen, de gezichtsspieren aantrekken, maak maar een grimas... én uitademen...'

Lomme deed ijverig wat hem werd opgedragen. Regiens zachte, beetje hese stem bracht hem in een uiterst behaaglijke, beetje roesachtige stemming.

'...en dan gaan we nu dezelfde weg terug. Ademen, gezichtsspieren ontspannen... uitademen. De handen en armen loslaten... goed zo... uitademen...'

Er gebeurde iets eigenaardigs. Geheel tegen het programma dat Bess Mensendieck zo zorgvuldig had samengesteld om de mens in staat van onthechting te brengen in, was er één lichaamsdeel van Lomme dat zich hieraan onttrok. Regien keek met stijgende verbazing en langzaam groeiende opwinding naar dat éne segment, dat zich, onafhankelijk van haar zacht gebiedende stem, geheel op eigen houtje spande, verhief en als een eigenwijze stramme kabouter overeind kwam, een ruime tent vormend met de handdoek die Lommes lichaam luchtig bedekte. Ze deed eerst of ze gek was, ze voelde kwansuis aan Lommes voeten of zijn benen totaal ontspannen waren, hief zijn polsen in haar handen om ze met een klap weer op de grond te laten vallen. Jazeker, hij was helemaal ontspannen. Behalve dan dat ene lichaamsdeel, dat nu zelfs (zag ze het goed?) kwispelde...

Ze kon het niet langer aanzien, ontdeed zich haastig van haar panty en slipje, tilde de handdoek van Lommes lijf en liet zich onbekommerd boven op zijn verheven deel zakken.

Zo bereikte Regien de Kooning dan eindelijk, eindelijk, na lang tobben en afzien, op eenendertigjarige leeftijd, gezeten op de top van een van onze topsporters, de zee.

12

Het was meer dan aantrekkingskracht, hartstocht, hevige verliefdheid. Dat was het ook, in hoge mate. Maar er kwam iets bij, waar geen woorden voor bestonden. Iets dat van ver kwam en zeer diep ging. Herkenning?

In ieder geval maakte het dwingende karakter van hun wederzijdse gevoelens, dat beider levens totaal moesten worden herzien. Lomme zette zijn blonde stuk zonder veel plichtplegingen aan de kant en stortte zich met overgave in het avontuur. Ze wist hem buitengewoon te bekoren, hij werd als door magnetische kracht naar haar toe getrokken. Het kon hem niet schelen wat zijn clubvrienden kletsten, het gesmoes achter zijn rug, het gevoel van wezenlijk welbevinden, dat hem overkwam in Regiens armen, was zo groot dat het opwoog tegen conventies en ongemak van uiterlijke aard.

Regien had heel wat te ruimen voor ze zich vrij wist. Joost kreeg de bons, met een knallende ruzie aan de rand van het IJ stapte ze kordaat uit zijn leven. Op dat ogenblik wist ze beter dan ooit, dat de liefdesclichés die ze elkaar hadden toegefluisterd in die rare nachten in de provincie, niets te betekenen hadden gehad. Allemaal wederzijds opportunisme en geiligheid, anders niet... Wat een opluchting dat dat achter de rug was!

Met Stip lag het heel wat ingewikkelder. Van Stip hield ze wel degelijk, bovendien had ze het gevoel dat ze voor Stip moest zorgen. Toch moest ze snijden, er zat niets anders op.

'Ik wil scheiden, Stip.'

'Hoe moet het dan met mij?'

Ja Stip, wie zou de was doen, het eten koken, de administratie regelen? Waar vind je iemand, die dat allemaal zou willen opknappen?

Stip zag geen andere oplossing dan zich in een vreselijke depressie te storten, zodat Regien zich flink schuldig zou voelen. Maar ondanks dat knagend schuldgevoel zette ze onverbiddelijk de stappen die nodig waren om samen met Lomme verder te leven. Bij Lomme was zuurstof, Lomme was stromend water, Lomme was de zee.

'Lomme, waar kom jij toch vandaan?' vroeg Regien, als ze gevreeën hadden op het oefenmatje in haar praktijkkamer. Ze lag voldaan op haar zij en bekeek Lommes gezicht, zijn vochtige blonde babyhaar. De krullen plakten tegen zijn voorhoofd.

'Ik? Ik kom uit Waveren, van de markt. Ik ben 'n Belg!'

Straathond, lekkere straathond, dacht Regien. 'Hou je van frieten?'

'Ik houd van u,' antwoordde Lomme en zoende Regien tot ze naar adem snakte. 'M'n ouders stonden op de kermis met zelfgemaakte pralines en patisserie. 's Winters hadden ze een café op de markt in Waveren. Ik voetbalde op het plein.'

'Hield je veel van je vader en moeder?'
'M'n vader sloeg me. M'n moeder was lief.'
'Neem je me mee naar je moeder, Lomme?'
'We zullen het eens bekijken.'
Regien strekte zich op haar eigen therapeutische mat en keek naar het schrootjesplafond. Zo lagen nu haar patiënten overdag. En dan liet zij ze zich ontspannen. De pijn de baas worden. Ze moest denken aan de Afrikaanse vrouwen, die met zwaarbeladen manden op hun hoofd kaarsrecht door het leven stapten. Nooit rugklachten, nooit hernia's. Omdat ze zo prachtig rechtop liepen, dat er nooit ook maar één wervel aanvechting kreeg scheef te groeien.
'Waar ligt ge allemaal aan te denken, m'n lieveke?'
'Aan pijn. Aan alle mensen met pijn. Al die pijn leggen ze hier bij mij op de mat. En nu bedrijven wij de liefde op die pijnmat.'
'Wilt ge dan nog een keerke de liefde met mij bedrijven?'
Voetballers, dacht Regien. De conditie van voetballers grenst aan het ongelooflijke!
De syncopen van het derde deel van het zesde Brandenburgse concert drongen vaag tot haar door. Stip troostte zich met Bach.

'Kunnen we niet één gezin blijven?'
Ze had Danny uitgelegd, dat Stip en zij gingen scheiden. Dat ie net zo vaak naar Stip mocht als ie wilde, maar dat hij bij haar bleef wonen. Bij haar en Lomme. Danny moest heel lang nadenken. 'Maar

waarom kunnen we dan niet één gezin blijven?'
Hoe moest je nou een jongetje van zeven jaar uitleggen, waarom je iets niet meer volhield.
'Stip en ik houden wel veel van elkaar. Maar we passen niet zo goed bij elkaar.'
'Waarom hebben jullie mij dan gemaakt?'
Een ongelukje... Ze had het bijna gezegd. Maar je kon een kind niet zo opzadelen met de gedachte dat het een ongelukje was.
'Tja Dan, laten we zeggen, dat toen we jou maakten, we nog niet wisten dat we niet zo goed bij elkaar pasten.'
Wat een armoe. Zelf had ze niet geleden onder de scheiding van haar ouders, integendeel, het ophoepelen van haar autoritaire vader had ze ervaren als een opluchting. Maar Stip was niet autoritair, Stip was schattig met Danny. Daar zou ook geen verandering in komen.
'En blijft Lomme dan hier wonen?'
'Ik denk dat we gaan verhuizen. Dat was ik toch al van plan, nu ik meer centjes verdien. Dan krijg jij een lekkere grote kamer voor jezelf, heel wat beter dan dat kleine hokje.'
'Nou, als Lomme me dan maar meeneemt naar het trainen. En als ik maar net zo vaak naar Stip mag als ik zelf wil.'
Afgekocht, dacht Regien. Zo maak je vuile opportunisten van kinderen.

13

Alle hindernissen waren genomen. Regien was gezellig gearmd met Stip naar het gerechtsgebouw aan de Prinsengracht gewandeld om te luisteren naar het uitspreken van de scheiding, waarna ze bij Americain koffie met slagroom hadden gedronken en Stip ook nog een dubbele whisky achteroversloeg.

Vervolgens ging Stip op aanraden van zijn psychiater zijn depressie koesteren in een modern georiënteerde kliniek in een bos op de Veluwe, waarbij het hem binnen drie weken lukte geweldige indruk te maken op een vrolijke verpleegster, die Regiens werk graag wilde overnemen.

Toen de vereiste termijn van negen maanden na de scheiding was verstreken, stortten Regien en Lomme zich onbekommerd in een nieuw fris huwelijk.

Fotografen flitsten heerlijke happy foto's van het beroemde paar, journalisten krabbelden haastig details over de aanwezigen en de kleding van bruid en bruidegom neer; de klok sloeg een en al feestelijkheid.

Regien zag er precies zo uit als ze had bedoeld toen ze zich een eenvoudig maar geraffineerd gesneden marineblauw mantelpak bij Frank Govers had laten aanmeten en Lomme deed de aanwezige, nee alle aanwezige vrouwen zuchten... zoveel samengebalde mannelijkheid, zo'n Apollo!

Ze brachten Danny na het feestmaal onder bij een collega van Regien. Ze had een waanzinnig grote elektrisch bestuurbare speelgoedauto voor hem gekocht, die hij pas mocht uitpakken als zij waren vertrokken.

Naast het gevoel volkomen zeker te zijn van haar zaak, absoluut zeker te zijn eindelijk, eindelijk op weg te gaan naar het Gelukkige Huwelijk, bleef het schuldgevoel roepen en knagen. Het liefst had ze Stip ook nog een cadeautje gestuurd, een lekkere fles Jack Daniels of zo, maar ze weerstond die aandrang. En Danny vond het allemaal best, het enige dat hem bezighield was dat levensgrote pak, dat voor hem klaarstond. Voor zijn part nam Lomme zijn moeder mee naar IJsland, als ze nou maar opkrasten!

Maar zo ver hoefden ze niet, Lomme reed haar naar een luxehotel even over de grens. 'Belvédère' stond er in lichtgevende letters boven de elegante toegangsdeuren.

Hoewel ze elkaar nu bijna een jaar kenden, elkaar bij iedere gelegenheid uitputtend beminden, was deze huwelijksnacht in Regiens gevoel vol diepe betekenis; een sacrament werd voltrokken. Lust werd verheven tot een mystiek hoogtepunt! Lang geleden had ze haar moeder eens horen zeggen: 'Huwelijken worden in de hemel gesloten.' Haar eerste huwelijk telde niet mee, al haar andere verhoudingen en relaties wenste ze te zien als experimenten.

Uitgeput lag ze nog uren wakker, luisterend naar Lommes vredige ademhaling. Hij snurkte niet. Hij sliep met zijn mond dicht, ademde vrijwel geruisloos door zijn neus. 'Weet ge Regien, de Navaho-indianen leren hun kinderen met de mond dicht te slapen, zodat de vijand nooit op hun gesnurk af kan komen!' Ze boog zich in het donker over Lomme heen, tot haar wang zijn adem voelde. Ze dacht aan alle mannen die ze had leren kennen. Hoe energiek had ze gezocht naar de enige ware, die haar honger kon stillen en haar compleet zou maken. Hoe vaak had ze zich vergist. Ze was ook vaak een ontstellend naïeve trut geweest, had altijd zelf initiatieven genomen die tot de malste avonturen hadden geleid.

En nu was ze de veilige haven binnengelopen... de mooiste gemeenplaatsen vielen Regien in nu ze hier zo lag. Hoe heerlijk zou haar leven worden! Zij, werkend aan een ijzeren reputatie en hij, Lomme, de beroemdste keeper van Europa! En straks met die wereldcupwedstrijden, misschien wel de beroemdste keeper van de hele wereld!

Met aan de binnenkant van haar oogleden de projectie van een brede met zonlicht overgoten weg, die naar heerlijke blauwe heuvels in de verte leidt, viel Regien in slaap.

14

'Ik maak u een kind,' riep Lomme luid door de nacht. Over het algemeen werd zijn zuidelijke tongval al aardig verdrongen door het plat Amsterdams van zijn directe leefomgeving. Maar op plechtige momenten kwam er onvervalst Vlaams over zijn lippen. Zoals nu, nu hij met ongekende kracht zijn zaad diep in Regiens baarmoeder schoot. Er bestond geen twijfel, hoewel Lommes levenstaak vooral lag in het buiten het doel houden van schoten, was dit schot raak!

Dit was nog eens iets anders dan een ongelukje, waarbij je in het begin van alles probeerde om dat bevruchte ei weer kwijt te raken. Van de trap springen, hete baden nemen, kinine slikken. Na drie maanden had Regien zich er indertijd bij neergelegd en zich overgegeven aan haar moederbeestekant. Danny was uiteindelijk meer dan welkom geweest, en zowel Stip als Regien was zielsgelukkig bij het zien van dat prachtige jongetje. Nooit meer spijt gehad, nooit.

Maar dit kind, waarbij het ogenblik van conceptie zo vanzelfsprekend en gewild was, dat was een bevestiging van het Huwelijk dat zij hadden gesloten. Here, here, de wonderen waren de wereld nog niet uit! Soms moest Regien zelf grinniken om de verhevenheid van haar gevoelens.

Lomme vond het allemaal een stuk gewoner. Ja,

Lomme begon zelfs weer naar de meiden te kijken. En meiden zwermden er altijd in overvloed om de club, meiden genoeg.

Regien was nuchter genoeg om in te zien, dat een huwelijk nog zo gelukkig kon zijn, maar dat het vlees altijd zwak kon worden, zeker als er zo overduidelijk gelegenheid werd gegeven. Grootmoedig stelde ze zich voor, hoe ze Lomme zijn slippertjes zou vergeven. Eigenlijk stelde ze zich al bij voorbaat in op de klap. Welke klap wist ze ook niet precies, maar dat ie niet zou uitblijven, daar was ze zeker van.

Op voorhand begon ze maar alvast stevig te eten. Alsof een laag vet bescherming bood tegen alle klappen, die ze in de toekomst zou moeten opvangen.

'Blijft ge me trouw?' vroeg ze Lomme in het donker, zijn Vlaams imiterend. Het was een beetje hun liefdestaal geworden, dat zoete Vlaams.

'Ik blijf bij u...' Lomme legde zich niet vast op beloften, maar dat hij altijd bij haar zou blijven, stond voor hem vast. Regien was zijn bodem, zijn vaste grond. Dat rook hij aan haar. Zijn reukzenuwen waren prima in orde.

'Ge blijft bij me, maar blijft ge me ook trouw?' wilde Regien preciseren.

'Ge moet niet zo zeuren. Ge zijt ene zeurkous.'

Ze aten elkaar op, likten elkaar af, smulden en snoepten van elkaar. Toen de weeën begonnen, kon Lomme Regien met haar topzware lijf nog niet met rust laten. Voorzichtig, heel voorzichtig om zijn kind niet te beschadigen liet hij zijn lid spelen aan de uiterwaarden van haar hof. Ach, dit was immers een liefdeskind, dat moest tegen een stootje kunnen.

En daar was het kind. Lomme stond met uitgespreide armen aan het voeteneind van het bed, alsof hij een strafschop kostte wat kost moest tegenhouden! Toen het spekgladde jongetje daar tussen Regiens uitgeputte dijen lag, nog vast aan de navelstreng, maakte Lomme een luchtsprong. Zo'n wonderlijk hoge sprong, die sportfotografen soms weten te vangen in hun lens, zo'n sprong die iedere zwaartekracht lijkt te tarten.

'Goal!' riep Lomme. 'Regien, nu hebben we alles!'

15

'Twee keer stond Patrocles op winst in de van spanning zinderende beslissende wedstrijd om het landskampioenschap. "Wij hadden de beker al vast, maar ik heb hem uit m'n handen laten vallen," mokte Lomme van 't Hof in de kleedkamer te Eindhoven, waar in drie uur meer gebeurde dan in alle voorgaande wedstrijden van het hele seizoen.

Minutenlang staarde Lomme wezenloos voor zich uit. Hij had het van alle leden van Patrocles nog het meest te kwaad met de verpletterende teleurstelling.

"Dit is een ontzettende mentale klap, nauwelijks te verwerken," bekende ook Titus Zwaarmaker aan onze verslaggever. Zware wallen onder zijn ogen getuigden van het feit, dat het op een haar na missen van het landskampioenschap hem niet in de kouwe kleren was gaan zitten.'

Regien liet *de Volkskrant* zakken. Wat een barok proza vulde de sportkaternen op de vroege maandagmorgen. Hier, het *Algemeen Dagblad*: 'Uitgerekend in een wedstrijd die als mooiste krent uit de pap telt!' en 'Het gaat er niet om wat je stopt in zo'n wedstrijd, het gaat erom wat je doorlaat!' Dat hale je de koekoek. Weer een open deur ingetrapt. De woorden van de spelers werden hen uit de mond getrokken en groot gedrukt.

Kom, ze moest opschieten. Over een kwartier kwam de eerste patiënt. Regien ruimde haar koffiekop weg, schoot haar witte jas aan en haalde snel een kam door het haar. Die witte jas was onzin, maar ze had geleerd dat het haar autoriteit verstrekte; mensen hadden de neiging haar minder serieus te nemen als ze hen in haar dagelijkse plunje aanhoorde en behandelde. En zelf was ze die witte jas ook gaan waarderen, het dragen ervan schiep afstand tussen haar arbeidsleven en haar vrije tijd.

Ze inspecteerde zichzelf in een van de grote spiegels. Nauwelijks op haar normale gewicht na de geboorte van kleine Gaston was ze weer zwanger geraakt, drieëneenhalve maand was ze nu heen en haar contouren veranderden alweer fors. Ze hield beide handen op haar buik, voelde ze schoppen? Maar dat kon nog niet, onmogelijk, dat duurde zeker nog een hele maand. Het zou aardig zijn als het nu een meisje werd, mijmerde Regien, terwijl ze een grote marsepeinen paddestoel in haar mond stopte. Heerlijk die zwangerschap, je kon eten wat je wilde. Nou ja, niet echt natuurlijk, ze hield het wel in de hand. Gulzig kauwde ze de paddestoel, nam er nog een, moest dóórkauwen om met een lege mond haar patiënt open te doen.

'Werkt u gewoon door, mevrouw de Kooning? Wordt u niet vreselijk moe van al die zieke en klagende mensen de hele dag om u heen?'

Mevrouw van Wijk ging kreunend op handen en knieën zitten.

'En nu naar voren lopen met de handen, krabbelen als het ware, net zo lang tot u niet verder meer kan, en ik voel me uitstekend, dank u.'

Ze coupeerde ogenblikkelijk overmatige belangstelling voor haar privé-leven; als je de mensen maar een vinger gaf dan pakten ze ogenblikkelijk je handen en voeten erbij en ontaardde de sessie in een naaikrans. Geen flauwekul, er moest gewerkt worden, ook door de patiënt.

'Eet u wel doelmatig, mevrouw van Wijk?' vroeg Regien vriendelijk, terwijl ze kritisch naar de Michelin-rollen rond het middel van haar patiënt keek.

'Een beetje meer rauwkost komt ook uw spieren ten goede.' Ze peuterde met haar wijsvinger een ontspoord stukje amandelpers uit haar kroon, waar een hoekje van was afgebroken. Ze moest nodig naar de tandarts.

Mevrouw van Wijk plofte op haar achterste. 'Gut, die oefening is zo zwaar, in m'n eentje thuis kan ik hem helemaal niet doen. Net of uw stem mij over m'n dooie punt heen helpt.'

'Kom vooruit, dan proberen we het nog een keertje.'

Zo werkte ze verder, consciëntieus, opgeruimd, en liefdevol. Ze voelde zich intens gelukkig. Ze hoorde Danny thuiskomen uit school, de huishoudster zette thee, Gaston kwam kraaiend uit zijn middagslaapje en speelde zoet met zijn grote broer. Ze snoepte tussen de behandelingen door van haar huiselijk leven, dat perfect was georganiseerd: een huishoudster die het huis stralend schoon hield, de was deed, lief voor de kinderen was en wier aanwezigheid nooit hinderlijk werd. Ze moesten er met z'n tweeën hard voor werken, maar dat werken werd beloond met een comfortabel leven, dat mocht je wel vaststellen.

Om halfzes sloot Regien de deur achter haar laatste patiënt en repte zich naar de bovenverdieping van het nieuwe huis met voor- en achtertuin in Nieuw-Zuid. Tante Jopie had de macaroni in de oven gezet, er hoefde alleen nog maar een slasausje gemaakt te worden.

Lomme kwam thuis van de training. Nog steeds gingen de minuscule haartjes op haar rug overeind staan als ze zijn stap vernam, zijn stem tegen de kinderen; het moment naderde dat hij haar in zijn armen zou sluiten... Ze deed vaak quasi of ze hem niet hoorde, quasi bezig bij het aanrecht, zodat hij haar van achteren zou omhelzen, even z'n hand onder haar bilspleet zou leggen; een eigendomsgebaar van een oerman die van de jacht komt en controleert of zijn vrouw trouw op hem heeft gewacht.

En ja, het liep zoals gewoonlijk. Hij kuste haar in haar nek, hij hield haar tegen zich aan. Maar het vertrouwde obscene gebaar bleef achterwege. Regien draaide zich abrupt om en keek hem recht in de ogen.

'Wat is er Lomme? Ben je nog gedeprimeerd van jullie nederlaag?'

Hij ontweek haar blik, greep naar de avondkrant,

antwoordde niet. Ze liep op hem toe, streelde zijn krullen, kuste zijn oorlelletje. En plotseling rook ze onraad. Haar hart bonkte, sloeg uit als een seismograaf op tilt.

Met de grootst mogelijke zelfbeheersing deed ze of er niets aan de hand was, tutterde met de kinderen, werkte het hele programma af naar behoren, tot de baby in z'n bedje lag en Danny nog even bij een buurjongetje ging spelen.

Ze schoof naast hem op de bank, waar hij met de afstandsbediening rommelde. Ze zei maar niks, haar verfijnd afgestelde reuk noteerde angst. Lomme was bang. Maar waarvoor in godsnaam? Omdat ze het kampioenschap niet hadden gewonnen?

In bed kwam het hoge woord eruit.

Hij was als de dood voor de volgende wedstrijd.

16

Ze ging eerst maar eens gewoon met Lomme aan het werk, professioneel, of hij een patiënt was. Hoewel hun relatie op die manier was begonnen, viel het Regien niet mee om het persoonlijke uit te schakelen. Lomme reageerde kribbig, hij vond haar autoritair. En dat riep hevige weerstand bij hem op.

Ze liet hem de overbekende ontspanningsoefening doen, die heerlijke klassieke oefening waarbij het indertijd door het overduidelijk spreken van Lommes lichaam tot hun eerste fysieke confrontatie was gekomen.

Nu lag hij weer net zo hulpeloos op haar matje, z'n ogen gesloten. Aan het trekken van zijn gezichtsspieren zag ze, dat de ontspanning niet doorwerkte. 'Nou, dan niet Lomme!' Regien werd plotseling woedend. 'Godverdomme, ik doe het toch om je te helpen? Het is je vak, je beroep, je talent, daar gaat het om. Dus doe dan zelf ook maar eens een beetje professioneel mee, zeg!'

Verbaasd opende Lomme zijn ogen, keek tegen de dikke buik van zijn kwaaie vrouw aan. Mooi was ze, zo dik, hij hield ervan.

'Waarom wordt ge nu zo kwaad, lieveke?'

'Je doet niet mee. Je ligt daar maar als een stuk hout, je communiceert niet met me. Als je wilt dat ik je van je angst af help, moet je wél méédoen!'

Lomme ging rechtop zitten. 'Ja, m'n lijf wil niet mee, wat moet ik?' Regien hervond haar kalmte, het was ook niet erg professioneel van háár zich zo te laten gaan.

'Laten we naar de stad gaan, koffie drinken, beetje rondrommelen, kletsen... Daar komt het tegenwoordig nooit meer van...'

'Maar hoe moet het dan met de volgende patiënten?'

'Ik heb nu twee uur vrij en ik bel de eerste patiënten van vanmiddag af, ik verzet die uren.' Het ging wel in tegen haar plichtsgevoel, maar Lomme ging vóór.

Boven de grote kop koffie-verkeerd begon hij te praten. 'Die strafschoppen, de penalty's, dat is me vaak een nachtmerrie. Ballen zijn altijd hard, maar hiervan wéét je hoe hard ze zijn, daar anticipeer ik op. En ik ben heel geil, fel ook op de bal, ik moet hem vangen, dat zit diep in mij, die bal is voor mij. Dan gaat ge gokken. Ge staat in dat doel. Officieel moogt ge u niet verroeren tot er wordt geschoten. Maar ondertussen ziet ge scherp en nauwlettend hoe het been van de schutter optrekt, naar achteren gaat... ja, ja... daar komt ie! En op dat ogenblik voel ik dan zo duidelijk mijn machteloosheid. Die bal komt ongeveer in een halve seconde op de doellijn. Maar ik heb een kwart seconde méér nodig om uit mijn stilstand de hoek waarin de bal terecht gaat komen te bereiken. Begrijpt ge?'

Regien knikte.

Nu kwam ie tenminste los.

'Kijk, in het spel gaat dat allemaal vanzelf, automatisch, ge reageert op de spelbewegingen. Maar zo'n verlengde wedstrijd, waarbij het dan beslist wordt met strafschoppen, dat is ene hel! Ene doem! Geloof me!'

Regien geloofde hem.

'En na de nederlaag van zondag ben ik als verlamd; het maalt maar door m'n kop, het houdt me uit de slaap.'

Regien dacht na. Het probleem was niet fysiek, maar mentaal, dat werd haar wel duidelijk. De faalangst stond klaar om toe te slaan.

'Wat denkt ge, Regien? Ge zijt zo goed bezig met het team, we hebben allemaal zo'n groot vertrouwen in u. De jongens zijn zeer te spreken. Weet ge een oplossing?'

'Je hebt behoorlijk inzicht in het mechanisme van je angst. Je angst is gegrond. Ik zou zelf niet graag in dat doel staan met zo'n schutter voor me.'

Lomme knikte, zijn vrouw begreep hem, ze kwam wel met een oplossing.

Regien boog zich naar hem over, haar stem kreeg iets dringends.

'Het is mentaal, Lomme. Weet je nog dat verhaal van Anton Geesink? Dat werd bij ons in de opleiding al verteld. Hij was in Japan, het ging om het wereldkampioenschap. De Japanners hebben allerlei rituelen, als je die negeert, dan riskeer je de woede van de goden. Dat wist Anton ook. Maar die had geen boodschap aan die goden. En toen de wedstrijd begon, zijn tegenstander boog en zich strikt aan het ritueel hield, toen deed Geesink net of ie gek was. Hij doorbrak het voorschrift, stapte gewoon door een denkbeeldige grens op de nog verboden mat, waardoor zijn rivaal mentaal helemaal in de war raakte en... hij won!'

'Maar Regien, ik kan maar twee kanten op! Naar rechts of naar links. Mijn mogelijkheden zijn beperkt.'

'Toch is het mentaal, Lomme. Ik wil er maar mee zeggen, dat je je als het ware kwetsbaar moet opstellen, niet verhard. Dat kost te veel energie. En die energie heb je nodig om de bal te stoppen. Je moet je helemaal niet bezighouden met je eigen vermeende zwakte, je moet je concentreren op de zwakte van de tegenstander, je moet hem doorzien.'

Zo praatte ze tegen hem aan. Lommes schouders trokken recht, hij was zo suggestibel als een twijg, hij ging zich per minuut beter voelen.

'En je moet nog iets weten. Denk eens aan het publiek. De mensen genieten van je, ze kijken naar je, je bent hun held. Als je de bal eruit houdt, dan kan je geen kwaad doen. Geniet jij nou ook maar eens van die wetenschap!'

'Ge formuleert het zo schoon, het gaat recht bij mij naar binnen.'

'Ik denk dat het in de praktijk erop neerkomt, dat je moet trainen op de informatie die de schutter ongewild geeft. Je reactiesnelheid, daar is niks mee aan de hand. Daar moet je gewoon op vertrouwen. Maar let op je tegenstander!'

17

Lomme had goed geluisterd, hij ging fluitend naar de training en kwam thuis met dertig rooie rozen voor Regien. 'Ge zijt mijn schutsengel, ik voel me weer de oude.'

Die zondag pakte ze zijn koffertje voor hij naar het veld vertrok. 'Welke kleur dragen we vandaag?'

'Geel!' riep Lomme vanuit de badkamer.

Goed zo, dacht Regien, lekker fel ertegenaan.

'Waar is mijn beenbruin?'

Ze giechelde, wat was ie toch een ijdele Belg. Hij maakte het stuk tussen broek en kniekous, het lekkere blote stuk been, met schmink bruin, het zag eruit of hij zo van de Canarische Eilanden kwam. Laatst had ze dat nog bijna per ongeluk aan een verslaggever verteld, zo grappig vond ze het zelf.

Vol liefde legde ze de schone kniekousen, het ondergoed, het dubbele stel shirts en korte broeken, de tandpasta, de toiletspullen in de kleine koffer. Er zat in het deksel een foto van haar met Danny en Gaston geplakt, als talisman.

Hij hield alle ballen uit het doel, Patrocles won met twee-nul. Ze had met Danny op de eretribune gezeten, het was een voorbeeldige wedstrijd. Vlak voor de rust voelde ze een hand op haar schouder, het was

Titus Zwaarmaker. 'Lomme is duidelijk over z'n inzinking heen.' Regien knikte. 'Het was mentaal. Maar Titus, ik wil graag eens even met je praten. Ik denk dat ik iets heb ontdekt, wat belangrijk is voor de jongens. Het werkt bij Lomme in ieder geval nu al.'

Titus trok zijn agenda, hij knoopte er meteen een etentje aan vast.

's Nacht in bed liet Lomme zich van zijn beste kant zien, ze genoot van de langzame bewegingen van zijn getrainde lijf. Hij stond erop, dat ze klaarkwam. Regien was wel eens lui, spreidde dat gevoel liever over twee of drie keer, ze bouwde daarmee in zichzelf iets op wat dan uiteindelijk tot een formidabele explosie leidde. Maar Lommes mannentrots moest scoren, ook in bed.

'Ik ben Van Basten niet!' protesteerde Regien. 'Jij denkt altijd maar aan doelpunten, scoren. Ik scoor wel in mijn eigen tempo.'

Hij beet haar zachtjes in haar schouder.

Zodat ze dan toch maar kwam.

18

'Het is allemaal mentaal, Titus. Natuurlijk zijn de oefeningen goed, dat werkt ook uitstekend door. Daar zit al een brok mentaliteit ingebouwd. Maar die haptonomie, dat is net toveren. Ik heb me er grondig in verdiept en het kan nóg meer opleveren.'

'Kun je mij ongeveer uitleggen, waar 'm dat in zit?'

'O, die ouwe Rümke, die had daar zo'n mooie uitdrukking voor: "Maximaal naderen met behoud van distantie!" Daar is het eigenlijk allemaal mee gezegd. Je eigen kwetsbaarheid niet wegstoppen, verharden, maar opengooien. Dan schep je als het ware ruimte om je heen, die de tegenpartij moet respecteren!'

Hij snapte het niet helemaal, maar hij had een onbegrensd vertrouwen in Regiens talent. De resultaten waren er immers naar. En die kleine inzinking van Lomme, de manier waarop ze de man weer vol zelfvertrouwen in het doel had gekregen... chapeau!

Regien nam nog maar een bitterbal met dik mosterd. Ze boog zich vertrouwelijk naar Titus over. 'Ik ben het nu allemaal aan het uitwerken en dan ga ik ermee aan de gang. Geef me nog even tijd, want ik wil niet maar wat aanrommelen.'

'Ga gerust je gang, doe maar wat je nodig vindt. Maar, Regien, het is niet als aanmerking bedoeld, maar... je zwangerschap... moet je het niet wat rustiger aan doen?'

Regien keek terloops even naar haar buik, waarbinnen nu flink werd geschopt.

'Volgens mij zit daar een voetballer in! Maak je geen zorgen over mij, Titus. Ik voel me beter dan ooit, ik heb een uitstekende huishoudster en ik ben op m'n allergelukkigst als ik mag doorwerken. Daardoor vliegt de tijd voorbij. Ik moet er niet aan denken, dat ik met die trommel achter een breikous zou moeten zitten!'

'Zal ik nog een portie bitterballen voor je bestellen?'

'Nee, geef me nu maar zo'n lekkere hamburger. Met alles erop en eraan. Ik moet zeggen, de kantine is niet slecht!'

Regien veegde met haar vinger de mosterd van haar bord, likte hem gretig af. Deze zwangerschap werd gekenmerkt door een ongekende hang naar mosterd. Toen ze Gaston verwachtte, waren het gegrilde kippen geweest en toen Danny op komst was, kon ze absoluut niet door de Binnen Bantammerstraat lopen: de lucht van Chinees eten bracht haar in de buurt van overgeven. Eigenaardig, zou die speciale voorkeur of tegenzin tijdens iedere zwangerschap iets te maken hebben met het karakter van het wezentje dat je bij je droeg?

Er schoot haar iets te binnen. 'O ja Titus, ik moet je nog iets vertellen. In Limburg, in Maastricht, woont een trainer, die studie heeft gemaakt van alle spelers in Europa, op wat voor manier ze strafschoppen nemen. Je kunt die man eventueel van tevoren bellen, als we spelen. Dat lijkt mij voor Lomme een geweldige opsteker, als hij weet wat hem in dat opzicht te wachten staat. Jan Reekers is de naam.'

Titus schreef al. Wat een wijf, die Regien. Ze had zich volmaakt ingewerkt, terwijl ze eigenlijk helemaal geen natuurlijke affiniteit met het voetbalspel had. Maar ze las alles wat los en vast zat. Zoals deze tip, dat was toch onbetaalbaar. Jan Reekers, Maastricht. Hij zou er ogenblikkelijk achter aan gaan. En die huisarts die Regien indertijd had aanbevolen, die zou hij eens een lekker kistje wijn sturen.

19

Regien schonk het leven aan een derde zoon, die ze nu maar eens gewoon Jan noemde. Jan van 't Hof, dat klonk goed, degelijk en betrouwbaar, daar zou die jongen zijn hele leven plezier van hebben.

'Ge baart me nog een heel elftal,' zei de trotse vader. Hij genoot nog steeds mateloos van het leven met Regien, het weelderige, vruchtbare leven met de heerlijk ruikende kleine kinderen. De verstandhouding met Danny was ook best, Danny zat nu in het jeugdelftal van Patrocles; als hij een weekend naar Stip ging, dan vond hij het maar niks dat hij trainingen moest missen. Stip was zijn pa, natuurlijk, daar moest je zo af en toe wel een keertje naar toe. Maar bij Stip was het saai, zijn vriendin probeerde leven in de brouwerij te brengen als hij er was, maar verder dan spelletjes doen ging het nooit. Nee, dan Lomme, die was sterk. Hij leerde je keepen, alle fijne kneepjes van het stoppen van de bal.

Regiens reputatie nam toe, ze gaf her en der lezingen, leidde symposia, reisde naar het buitenland om op de hoogte te blijven van alle nieuwe ontwikkelingen en verdiende geld als water. Hoeveel, dat wist ze nooit precies. Lomme had helemaal niets met geld, helemaal niets. Zij verrichtte de allernoodzakelijkste handelingen en voor de rest stopte ze alle bonnen en rekeningen in een vuilniszak, die eens per drie maanden naar een accountantskantoor ging.

De particuliere praktijk van Regien was gekrompen. Een dag per week behandelde ze nog mensen, dat vond ze nodig om het contact met patiënten niet te verliezen. Maar het was wel een uiterst selecte groep, die ze afhielp van hun klachten. Haar matje werd voornamelijk bevolkt door bekende Nederlanders, en dat circuit liep heel ruim. Bankdirecteuren met hernia, professoren met beknelde zenuwen, operazangeressen die van spanning niet meer konden slapen, gestresste topsporters.

Tegelijkertijd gebeurde er iets vreemds met Regien. Ze had altijd al met geld gesmeten, ook in de tijd dat ze leefde van een beurs en later, toen ze een vast salarisje verdiende in het ziekenhuis. Ze ging ervanuit, dat het leuker was om één keer per week uitbundig lekker te eten en de andere dagen heel zuinigjes aan, dan het geld gelijkmatig te verdelen. Geld, baar geld, betekende feest voor haar. Maar nu het geld van die twee inkomens binnenstroomde, hield het feest nooit meer op.

Altijd al dol op kleren kon ze zich nu uitleven. Ach, heerlijke zuiver zijden blouses, kasjmieren jumpers en vesten, chiffon shawls, bedrukt met prachtige patronen. Mantelpakken, het meest hield ze van mantelpakken.

Op haar buitenlandse reizen wist ze al snel de weg naar de beste boetieks; Browns in Londen, Jil Sander in Hamburg en München, Fendi en Krizia in Milaan. En in het halfduister van die luxewinkels, daar gebeurde het. Met een feilloze smaak wist ze altijd juist die ene tas van zacht chocoladekleurig suède met bijpassende laarzen, die ene vilten herenhoed, het unieke kleine zwarte jurkje van planken en uit rekken te vissen. Oh, beeldig allemaal.

Omdat er altijd weinig tijd was, werden de aankopen razendsnel gedaan, er kon nooit lang worden nagedacht.

Ze kleedde Lomme ook, dat vond ze misschien nog het allerverrukkelijkst. In de beste herenwinkels zocht ze ongebruikelijke jasjes, schitterende handgebreide truien voor hem uit. Hij liet het zich aanleunen, zag in de spiegel dat het hem stond, dat Regien absoluut het mooiste uitkoos.

De verkoopsters van de goeie boetiek in Amsterdam kenden haar telefoonnummer uit het hoofd. En als de telefoon op het antwoordapparaat stond, belden ze onbeschroomd de boodschappendienst.

'Mevrouw de Kooning, er is net een nieuwe zending van Basile binnen.'

Ze was al weg. Nét voor het avondeten kon ze nog even kijken of er iets heerlijks was binnengekomen, iets wat flatteerde, wat soepel om haar toch steeds zwaarder wordende lichaam gleed... een mooie kleur, een geraffineerde coupe.

Ach, kijk nu eens, dat spierwitte wollen jasje van Krizia, met die ene grijze knoop gesloten. O, en wat viel het mooi, het verhulde haar vetrollen precies op de goeie plaatsen en vestigde de aandacht op haar slank gebleven heupen. Een hemels jasje, en de prijs was ook hemels. Maar dat was onbelangrijk, als je er zo allemachtig goed in uitzag.

En de overhemdblouses van Jil Sander. Dat sekreet maakte alles zo verleidelijk, die moest een smerig ontwikkeld verkoopinstinct paren aan een van god gegeven talent om vrouwen te verleiden. Wat je ook van die heks aantrok, het was allemaal even mooi. Die blouses in grège, wit, cognac, dieppaars. Ze nam ze maar alle vier.

Terwijl Regien zich voor de grote spiegel in elegante standen opstelde om een fraai mantelpak en zichzelf zo voordelig mogelijk tot hun recht te laten komen, voelde ze een hand aan haar rok trekken.

'Dat pak... dat heb ik besteld. Is dat het enige?'

Een schrille stem, het snerpte door Regiens trommelvlies.

'Mevrouw Teugel, dit pak is voor mevrouw de Kooning weggehangen.'

Het trekken ging door, nu aan de mouw van het jasje.

'Ik vind dat geen stijl, u zou mij bellen, als het binnenkwam. En nu staat die dame erin te paraderen!'

Regien voelde neiging het mens van zich af te slaan, maar ze hield zich in. 'Mevrouw Teugel, of hoe u ook mag heten, blijft u van mij af! Als u zo nodig dit pak wilt hebben, dan wacht u eventjes, hè? En dan bestellen ze er nog wel zo'n zelfde kostuum bij. Of ik vlieg even naar Düsseldorf.'

Mevrouw Teugel keek Regien vol haat aan. Ze had

een wonderlijk hoofd, boers, dacht Regien, een boerenhoofd met krulletjes.

Ze draaide zich hooghartig om en trok het pak in de kleedkamer uit. Ze had ook pakken genoeg, laat mevrouw Teugel maar.

Ze hoorde de schelle stem nog dóórtieren. 'Dat is toch die vrouw van die ordinaire voetballer? Die vent met dat zonnebankbruin en dat gepermanente haar? O, vreselijk, wat een vulgaire mensen zijn dat! Maar ik begrijp het, jullie kunnen je publiek ook niet uitzoeken. En geld zit er wel, natuurlijk.' Regien wenste het mens een in-operabele hernia en een slechte fysiotherapeut toe. Dat leek haar afdoende.

Annelies, de verkoopster die Regien al jaren kende, kwam de kleedkamer binnen met een kopje thee. 'Dat moeten wij nu helpen, mevrouw de Kooning. Is het niet afschuwelijk.'

'Wie is dat mens in godsnaam, Annelies, ik heb haar hier nog nooit gezien.'

'Ze is de vrouw van die beroemde chirurg, Teugel, van het AMC. Ze is ongelóóflijk... Terwijl ze zelf toch heel gewoontjes is, dochter van een beschuitbakker in Middelharnis of zoiets.'

Teugel... Teugel... Ja natuurlijk, de orthopedisch chirurg. Ze had al het een en ander over hem gehoord, het scheen een nogal radicale figuur te zijn. Enfin, mevrouw Teugel had haar mantelpak, dat er maar snel een kop koffie overheen mag gaan... die Zeeuwse trut.

Enigszins ontstemd, ondanks de grote zak met het

heerlijke witte Krizia-jasje en de vier zijden blouses, reed Regien naar huis. Vanavond moest ze naar Driebergen, op uitnodiging van de fysiotherapeutenvereniging. Ze wachtte voor het stoplicht bij de Beethovenstraat.

En daar, geparkeerd op het kleine weggetje tussen de straat en de stoep, stond de Porsche van Lomme. Hij zat voorin, naast hem een vrouw met veel donker haar. Lomme had zijn arm om de vrouw heen geslagen. Nu boog hij zich naar het hoofd met haar over en kuste het langdurig en hartstochtelijk op de mond.

Gebiologeerd keek Regien naar dit alles. Pas toen de auto's achter haar luid toeterden realiseerde ze zich, dat het licht al lang op groen was gesprongen.

Verdwaasd gaf ze gas en reed naar huis.

20

Hoe nu?

Werktuiglijk zette ze de oven aan, bond de kleintjes slabben voor, schepte op, toen de door tante Jopie bereide maaltijd warm genoeg was. Ze wachtte niet op Lomme. Ze hoorde de voordeur, zijn vertrouwd gestommel in de gang. 'Een goedenavond. Zijn julie alvast maar begonnen met het maal?'

Père de famille, dacht Regien, wachten tot vader het vlees snijdt. Zo iets. Daar was hij op gesteld.

Hij kuste haar in haar nek. Rook ze parfum? Vreemde lichaamsgeur? Haar zintuigen werkten op volle toeren. 'Gevaar,' riepen ze.

Terwijl ze uiterlijk geen spoor van achterdocht toonde, gewoon over koetjes en kalfjes kletste, met de kinderen tutterde, wijn voor Lomme inschonk, maalden wilde veronderstellingen door haar hoofd.

Ontrouw. Een eenvoudig eenmalig slippertje? Een langdurige verhouding? Het feit dat Lomme daar zo onbevangen in die drukke winkelstraat in z'n auto had zitten vrijen, terwijl het publiek hem zou kunnen herkennen, dat was een indicatie dat het misschien niets te betekenen had.

Om de problemen het hoofd te bieden, kracht te verzamelen, at ze twee volle borden leeg. En dat, terwijl ze juist die ochtend in de goeie stemming was zich weer eens een beetje in te houden met eten. Behalve de grote punt appeltaart met slagroom, at ze ook nog de vla-flip van Gaston op, die na drie happen genoeg had. Ze proefde niet wat ze at, ze stouwde, propte, vulde haar maag met substantie, wierp een verdediging op tegen het noodlot. Na al die jaren van geluk en succes sloeg het noodlot toe. Ze had er half bewust op gewacht en ziedaar, nu was het ogenblik aangebroken,er moest nu snel een stevige dam worden opgeworpen!

Ze maakte de knoop van haar rok open, liet de ritssluiting een eindje zakken. Lomme keek haar onderzoekend aan.

'Waar moet ge vanavond spreken?'

'Driebergen.'

Achterdocht begon mee te spelen. Waarom moest hij dat nog eens expliciet vragen? Had hij nog iets te regelen vanavond? Moest hij ergens heen?

'Hoe laat zijt gij thuis?'

Zie je wel, zie je wel.

'Lomme, wil jij Danny straks even naar zijn tennisles brengen. Hij vindt het zo heerlijk, als jij even kijkt.'

Zo kwam ze er misschien achter, of er iets op Lommes programma stond die avond. Maar zijn stem klonk volmaakt onschuldig. 'Maar vanzelfsprekend, lieveke. Dat was toch al afgesproken?'

O ja. Dat was al afgesproken.

'Lomme, wanneer mag ik eens tegen jou tennissen?' Lomme was Danny's held, hij was de belangrijke man in zijn leven, met hem identificeerde hij zich.

'Van de zomer, Dan. Dan gaan we met z'n allen met vakantie naar een hotel met een tennisbaan. Dan mag je mij inmaken!'

Père de famille. Jaja, een mooie dekmantel.

'Ik moet ervandoor.' Regien schoof haar stoel naar achteren.

'Als je niet te laat terug bent, dan wacht ik nog even op je. Maar er is morgenvroeg zware training, dus ik beloof niks.'

Nee Lomme, beloof maar niks. Zeg ook maar niks. Hoe kun je nou toch zo onbevangen een dubbelleven lijden? Naar wie gaat je werkelijke liefde? Lomme, je bent toch mijn liefje, mijn hartelap? Met wie moet ik je delen?

Met brandend maagzuur verliet Regien haar huis, haar gelukkige gezin achterlatend. Een gelukkig gezin. Bah, allemaal nep.

Maar toen ze in Driebergen het podium beklom, vergat ze haar misère. Ze stortte zich met overgave in haar betoog, met vuur en vlam verdedigde ze haar stellingen, wist de vragenstellers afdoende en bevredigend te antwoorden.

Toen ze klaar was, klonk er een luid applaus.

'Mevrouw de Kooning heeft ons vanavond buitengewoon goed inzicht gegeven in haar methode. Zij is een inspirerend voorbeeld. Haar motto "Wanhoop nooit!" mag als credo in ons werk gelden. Want ondanks alle gruwelijke en veelsoortige slijtage van het skelet, wat te maken heeft met de hoge leeftijd waarop de westerse mens tegenwoordig sterft, krijgen wij hier het antwoord aangereikt: ontwikkel het spierkorset! Het spierkorset houdt ons overeind!'

Wanhoop nooit. Ha!

Regien stak onder het terugrijden de hand in de gigantische doos bonbons, die men haar had geschonken. Ze zette de radio aan, de vermoeide stem van Wim Bosboom kwam tot haar in 'Met het oog op morgen'. Hij was in gesprek met een arts.

Verrek! Hoorde ze het goed? Dat was die Teugel van het AMC.

'Er wordt ontzettend veel gebeunhaasd in de fysiotherapie. Allemaal theorieën van de kouwe grond vinden gretig aftrek bij de pijn lijdende mens, die zich in zijn nood wendt tot wat zich maar aanbiedt. En het aanbod, de wildgroei in deze sector is gigantisch. Men ruikt de commercie, men verrijkt zich ten koste van die lijdende mens.'

Wat een geouwehoer. Laat die man maar eens voor de draad komen. Natuurlijk zijn er veel beunhazen, vooral onder chirurgen die graag snijden. Regien was niet welwillend gestemd. Laat die vent man en paard noemen. Maar het verdacht maken van een hele beroepsgroep, dat ging haar te ver.

Pas toen er een plaat werd gedraaid van Gladys Knight en de Pips, 'A parttime kind of love', kwam het ellendegevoel van die middag met volle kracht terug. Ze nam nog maar vier bonbons om dat gevoel een béétje weg te eten.

21

'Perelaar – Detective & Informatiebureau – bewijsmateriaal in civiele procedures, vertrouwensopdrachten in binnen- en buitenland, volgen en nagaan van personen.'

Zo stond het in de Gouden Gids: 'het volgen en nagaan van personen'.

Regien stond op de Prinsengracht op de stoep, naast de grote herengrachtengroen geschilderde deur hing een glimmend gepoetst koperen bord. 'Perelaar' stond daarop, verder niets. Dat was tenminste discreet. En discretie was hier een vereiste. Ze belde aan, de deur ging automatisch open. Pijlen verwezen naar de tweede verdieping, met gemengde gevoelens beklom ze de brede marmeren trap. Perelaar boerde goed met zijn vertrouwensopdrachten in binnen- en buitenland en het volgen en nagaan van personen, de hele entree deed denken aan een gerenommeerd advocatenkantoor.

Een receptioniste verzocht haar even te wachten, ze liet zich in de leren bank zakken. Smaak had mijnheer Perelaar ook, er hing een litho van Berserik aan de muur.

'Mevrouw de Kooning!' Regien kwam met moeite overeind. Een slechte eigenschap van moderne banken, ze waren allemaal te laag en te diep, zeer slecht voor de rug.

'Komt u binnen.'

Perelaar, een heer van middelbare leeftijd met een stevige buik, ging haar voor, liet haar plaats nemen achter zijn bureau.

'Vertelt u eens, wat is de bedoeling?'

Jasses, wat vond ze het eng. Nu moest ze voor Perelaar met de billen bloot.

'Mijn man...,' ze zocht naar woorden, de juiste formulering.

'Bent u niet getrouwd met Lomme van 't Hof?'

De tol van de roem. Iedereen kent Lomme. Iedereen kende haar. En dat was nu precies de reden waarom ze hier zat, ze kon moeilijk zelf de achtervolging inzetten. 'Ik heb mijn man gezien in gezelschap van een mij onbekende dame.'

Perelaar liet een rare hinnik los.

'Dat komt voor, gaat u verder.'

'Ze omhelsden elkaar.'

Nou én, dacht Perelaar. So what! Je bent toch wel heel naïef als je dat vreemd vindt. Dat doet iedere man. En als hij het niet doet, dan zou hij het wel willen! Maar zijn eigen filosofie deed er hier niet toe.

'Zo, zo. En wat wilt u nu precies van mijn bureau?'

'Ik zou graag de identiteit van die dame leren kennen.'

'Juist. Dat betekent dat wij uw man moeten schaduwen.'

'Meneer Perelaar, ik heb geen zin in een ordinaire rel, bovendien is mijn tijd kostbaar. Iedereen kent mijn man en ik ben ook niet onbekend. Ik reken op uw volle discretie.'

‘U bent aan het juiste adres, mevrouw. Wij schaduwen uw man en u kunt zo spoedig mogelijk over alle gegevens beschikken.’

‘Eh... de prijs, meneer Perelaar?’

‘Wij rekenen honderdenvijftig gulden per uur, per persoon, exclusief BTW.’

‘Per persoon?’ Regien keek verbaasd. Het volgen en nagaan van personen, dat deed je toch in je eentje?

‘Mevrouw, wij volgen de persoon in kwestie, in dit geval uw man, met snelle wagens, uitgerust met portofoon en mobilofoon. Soms is het object plotseling verdwenen in de Bijenkorf. Nou, gaat u zo’n persoon maar eens zoeken in zo’n warenhuis. Dan moet je met z’n tweeën zijn, contact kunnen houden met de portofoon.’

Ach Lomme, mijn liefje. Hier zit ik, je vrouw, en ik zal je laten volgen door twee private eye’s in snelle wagens, over de mobilofoon en de portofoon zullen ze elkaar minutieus op de hoogte houden van je verrichtingen... hoe ver is onze, nee, mijn grote liefde af gezakt...

Ze kon nog terug. Het was allemaal behoorlijk ellendig wat ze ging doen. Maar toen ze zich voor de geest haalde, hoe teder Lomme zich over dat harige hoofd had gebogen, vlamde de razende woede weer op.

‘Akkoord, meneer Perelaar. Zet u de procedure maar in gang.’

Kordaat tekende ze het contract dat haar onder de neus werd geschoven.

De beuk erin!

22

'Er zijn vrouwen die me ziek willen. Er zijn vrouwen die willen dat ik doodga. En er zijn er die mij moddervet willen.' Regien lag uren klaar wakker naast Lomme, die snurkte. Haar laatste interessante gedachtenwending deed haar het licht naast het bed aanknippen, Lommes sloffen aanschieten en naar de woonkeuken sluipen, waar zij een koude gebraden worst met citroenmosterd besmeerde en verslond.

'Ze willen me dik hebben!' mompelde Regien somber, twee bruine boterhammen smerend met een centimeter roomboter, de bittere hagelslag plettend met een mes zodat deze niet ratelend op het bord zou vallen. Desondanks hief de hond zijn kop en blafte.

'Sssst!' siste Regien, hem een Flora-brokje toewerpend. Ze betastte haar maag die zonder onderbreking in taillevorm overging in haar buik. Vier maanden, giechelde ze in zichzelf, ik ben vier maanden zwanger van hagelslag en verse worst. Kom meid, doe er es wat aan.

Ze verhief zich moeizaam van haar stoel en slofte naar de trimfiets die in de woonkeuken vóór de televisie stond geparkeerd. Ze zette de weerstand op tien, een weerstand die ongeveer gelijkstond aan het per fiets beklimmen van Alpe d'Huez. Ze wierp een blik op de antieke Engelse klok en een op de kilometerteller; ze wist precies hoeveel kilometer ze moest rijden om de aangerichte vreetschade teniet te doen. Daar er om halfvier 's nachts geen uitzendingen zijn en de video aanzetten haar te veel gedoe scheen, restte Regien niets anders dan haar gedachten de vrije loop te laten. Puffend en hijgend trapte ze de wielen van de stilstaande fiets rond, zich ondertussen afvragend wat haar ertoe bracht haar vraatzucht te wijten aan derden en nog wel aan vijandig gezinde vrouwen! Wat was ze weer boosaardig gestemd; zijzelf en niemand anders was verantwoordelijk voor wat ze naar binnen propte. Natuurlijk waren er ontzettend veel vrouwen die haar naar de andere wereld wensten, die afgunstig waren op het feit dat zíj het was die de nachten naast Lomme doorbracht. Ze liet maar even in het midden wat hij overdag uitspookte, trouwens met al die trainingen, wedstrijden en afzonderingskampen bleef er toch nauwelijks tijd over voor avonturen. Hoopte ze. En als die jaloerse krengen eens wisten wat het leven van een beroepsvoetballer inhield, dan zouden ze gillend de vlucht nemen.

Het zweet droop nu van haar voorhoofd langs haar neus in haar nachtpon die ook ter hoogte van haar bilnaad aardig doorweekt raakte. Nog drieëneenhalve kilometer de berg op, dan was zij die worst wel kwijt.

Zo boetend voor haar zwakke karakter trapte Regien voort, tot de deur van de woonkeuken zachtjes openkierde en Lomme met dichte slaapogen binnenkwam. Hij sloeg zijn arm om haar heen, drukte haar tegen zich aan en hielp haar van de fiets. 'Kunt ge de slaap weer niet vatten?' zei hij met z'n zachte Vlaamse tongval, terwijl hij het licht uitknipte en haar meevoerde naar de slaapkamer. 'Kom maar bij je ouwe Lomme, ik zal u wel eens lekker masseren.'

'O Lomme.'

Regien kreeg er natte ogen van. Ze strekte zich languit in bed, rolde op haar buik. Lomme ging op haar billen zitten en masseerde haar nek en schouderbladen met zijn stevige grote handen tot ze luid ging geeuwen.

'Zo. En nu gaan we slapen.'

Lomme klonk gedecideerd, hij duldde geen tegenspraak. 'Kom mee in mijn slaaptrein.'

Hij duwde Regien op haar rechterzij en kroop achter haar.

Ach Lomme, dacht ze, ik heb je verraden. Ik laat je gangen nagaan. Ik vertrouw je niet meer.

Maar omdat ze zo zalig lag, zijn lichaamswarmte haar inspon viel Regien de Kooning, beroemd Mensendieck-therapeute, autoriteit op het gebied van de haptonomie, zeer en vogue bij alle topsporters, bekend met iedere spierbundel in kuit en dij van de jonge helden van het voetbalveld plus van evenzovele Bekende Nederlanders, dan eindelijk, eindelijk tegen kwart over vier in een diepe droomloze slaap.

23

Na een week, waarin ze heen en weer werd geslingerd tussen hoop en wanhoop en tegelijkertijd haar best deed gewoon door te leven, niets te laten merken, hetgeen niet meeviel maar wel een gewichtsverlies van drie kilo opleverde als aangenaam bijverschijnsel, kreeg ze bericht van mijnheer Perelaar. Terwijl ze aardappelen schilde ging de telefoon.

'Mevrouw de Kooning, Perelaar hier. Kan ik vrijuit spreken?'

Ze vroeg zich af of Perelaar zou hebben opgehangen als Lomme de telefoon had aangenomen.

'Ja, jazeker. Spreekt u maar.'

Gaston speelde zoet met Jan, ze maakten een geweldige rotzooi door kranten in stukken te scheuren. Lomme was nog niet thuis.

'Mevrouw de Kooning, ik weet niet in hoeverre u vermoedens heeft over de bezigheden van uw man. Pardon, ik bedoel: zijn bezigheden buitenshuis... nou ja, u weet wel wat ik bedoel.'

Nee. Ze wist niet wat hij bedoelde. Wat bedoelde hij nou toch?

'Meneer Perelaar, ik luister.'

'Wij, en daarmee bedoel ik het team, hebben een lijstje met namen en adressen voor u. Adressen waar uw man geregeld even langswipt!'

Regien had het gevoel dat ze Lomme moest verdedigen. 'Hij heeft heel veel vrienden, meneer Perelaar.'

'Ja, dat zal wel mevrouw de Kooning. Misschien moet ik mij iets meer expliciet uitdrukken. Uw man heeft ook heel wat vriendinnen.'

Regien probeerde heel diep in te ademen, zo diep dat ze de bodem van haar longen zou bereiken. Maar het was of die bodem niet haalbaar was, ze kon er niet bij. God, dit was nou hyperventilatie. Ze herkende de symptomen.

Terwijl ze vakkundig probeerde haar paniek de baas te blijven (niet te diep inademen, lang en rustig uitademen, even vastzetten), maakte ze een afspraak met Perelaar om de volgende ochtend vroeg een lijstje op te halen met de door hem verzamelde adressen.

Ze stortte zich weer op de aardappel-schillerij. Hoe was het godsmogelijk! Waar haalde hij de tijd en de energie vandaan! En in bed had ze hier allemaal niks van gemerkt. Een beest, Lomme was een beest. O Lomme, waarom verpest je alles?

Toen ze de volgende ochtend de lijst met namen onder ogen kreeg, was haar eerste impuls in schaterlachen uit te barsten.

'Krijnse - Weerdestein 19, De Weert - Wateringenstraat 3, Muiswinkel - Durgerdammerdijk 114, Van Dapper - Genhoes 124.'

Dat waren de adressen van ongeveer alle mannen van het middenveld van Patrocles! Zou Lomme hun vrouwen... En hoe wist mijnheer Perelaar, dat hij daar op damesbezoek ging? Voor hetzelfde geld waren het collegiale visites geweest, nietwaar.

'Eén ding is mij niet helemaal duidelijk. Wie zegt, dat mijn man daar...' Ze sprak het maar niet uit. Want hoe moest je dat noemen... vreemdgaan? Dat vond ze een rotwoord. Maar mijnheer Perelaar was zeer ervaren in dit onderwerp.

'Ik begrijp wat u bedoelt, maar dat is allemaal haarfijn gecheckt. De heren waren niet thuis. Als u wilt, maar misschien vindt u dat te pijnlijk, dan kunnen wij zelfs ten bewijze fotomateriaal overleggen.' Ze moest er niet aan denken, Lomme gekiekt in compromitterende standen boven op de wettige echtgenotes van zijn collega's.

'Dank u wel, ik geloof u zo ook. Maar er is nog iets, wat ik niet begrijp. De vrouw, waarmee ik mijn man heb gezien, die ken ik niet. Die hoort dus niet in dit rijtje thuis.'

'Klopt, scherp opgemerkt. Dat is een receptioniste van het Okurahotel. Het is mevrouw Jonker. Haar man zit in Australië, is daar bezig met een groot waterbouwkundig project.'

'Heeft u haar adres ook?'

'Zeker. Hier is het. Weteringschans 66 tweehoog. Ze woont werkelijk heel riant.'

'Heeft u... heeft u hiermee alles, ik bedoel...'

'U bedoelt of wij de gangen van uw man hiermee volledig hebben gecovered? Ik dacht het wel. Trouwens, het lijkt mij fysiek niet goed mogelijk, dat meneer 't Hof nog meer...'

Ze liet hem niet uitspreken, was niet geïnteresseerd of hij Lomme in staat vond met een hele harem naar bed te gaan, of dat hij vijf dames wel genoeg vond.

'Meneer Perelaar, hartelijk dank voor uw bemoeienis. Stuurt u de rekening maar naar mijn praktijk, gewoon op mijn naam. Mijn man bemoeit zich niet met de administratie.'

'Zo u wilt.'

Perelaar liet haar uit. Moet je haar nou zien, dat mens, zo hooghartig tegen hem, dat neerbuigende toontje. Terwijl hij zeker wist dat ze vanbinnen kapot was. Ze moest maar eens wat aan haar lijn doen. Nog verbaasd ook dat die vent het met een ander deed. Nou met één ander...

Grijnzend sloot Perelaar de deur achter zijn cliënte.

24

In plaats dat Regien op een confrontatie met Lomme aanstuurde, gooide ze zich op haar werk. Ze moest eerst voor zichzelf de zaak op een rijtje hebben, voor ze de boel kon, of liever durfde, openbreken. Een plan waar ze al heel lang mee rondliep, kwam nu tot volle wasdom. Op zichzelf was het een open deur, die nog eens stevig werd ingetrapt. Maar dat was met goeie dingen vaak het geval.

Ziekteverzuim bij grote bedrijven, het hield haar bezig. Mensen aan lopende banden, eentonig werk, mensen in warenhuizen, op banken, achter loketten. Waarom was het ziekteverzuim in al die massale werkruimten zo gigantisch hoog?

Bewegingsarmoe. Dat was de sleutel!

Ze ontwierp een eenvoudig oefenschema, waarbij je je niet verveelde. Ze maakte een band met pittige ritmische muziek, die werd afgewisseld door sterk aansprekende mooie melodieën. Het duurde precies twaalf minuten. Twaalf minuten, waarbij het hele lichaam een grondige beurt kreeg, geen spiergroep werd overgeslagen. Als iedere werknemer, voor hij of zij aan de slag ging, dit programmaatje uitvoerde, dan zou het ziekteverzuim gigantisch teruglopen. Desgewenst zou het na de middagpauze nog eens kunnen worden herhaald.

Nu moest er een naam voor worden bedacht.

Ze reed naar de Ven-supermarkt, de enige plek in Nederland waar je dát kon kopen wat ze nu nodig had. Manons. O zeker, je kon bij Leonidas in de Damstraat een imitatie-Manon kopen, maar die zonk in het niet bij de enig-echte, dramatische oer-Manon, in België met de hand gemaakt. Verse slagroom, een hazelnoot, een couverture die het midden hield tussen marsepein en zacht wit suikerglazuur. Iets tussen een maaltijd en een gebed. En helaas was het onmogelijk er meer dan drie achter elkaar op te eten, anders ging je spugen. Ze kocht een pond. Op het parkeerterrein voor de supermarkt scheurde ze gehaast, als een junk die moet scoren, het doosje open. Voorzichtig en tegelijkertijd gulzig zette ze haar tanden in het buitenste laagje, dat krakerig brak. Ze drukte zachtjes door tot ze op het hazelnootje binnenin stootte. O, mmmm... een orgasme van weelderige smaak ontlook op haar tong, tegen haar gehemelte.

Maar goed dat de Ven-markt niet naast de deur was. Maar goed ook, dat ze niet in Brussel woonde... ze zou dichtgroeien.

Gesterkt reed ze naar huis terug, waar haar heerlijke kinderen altijd wachtten, die waren nog van haar, helemaal van haar. Ze mocht ze knuffelen zoveel ze wilde, de lekkere blote lijfjes afsoppen in het bad, drogen in warme grote handdoeken. Voorlezen en dan vielen ze zo lodderig in slaap, met de bekjes halfopen, de duim er vochtig in.

O lieve Lomme, ik zou nog wel drie kinderen van je willen hebben, waarom doe je het ook met andere vrouwen? Waarom heb je niet genoeg aan mij? Ik heb toch ook zo helemaal volledig genoeg aan jou? Waarom moet je je mannelijkheid nog eens buiten de deur bevestigen, op het middenveld ook nog? En bij de receptie van het Okurahotel?

Moordlust kwam boven. Straf moesten die wijven hebben. Wat hadden ze zich door Lomme te laten pakken, kon nog een leuke boel worden als die kerels erachter kwamen dat hun doelverdediger, waar ze trots en dol op waren, ook op hun eigen thuisfront zo actief was.

Houd je in, Regien! sprak ze zichzelf toe. Denk aan je werk, je nieuwe plan. Heel Nederland fit achter toonbank en loket. Bepaal je tot de hoofdzaak.

Lomme trainde, ze at alleen met de kinderen. Danny voerde Gaston, speelde treintje met de vork. Regien had Jan op schoot en probeerde appelmoes naar binnen te krijgen.

Uiteindelijk at ze zelf alle halflege kinderborden schoon, schraapte de appelmoes er tot de laatste spat af. Mmmm, er ging niets boven zelfgemaakte appelmoes.

Toen ze allemaal veilig in bed lagen, belde ze de redactie van Studio Sport. Dat leek haar het juiste kanaal om het plan ter verbetering van de conditie van de mensheid te spuien.

25

De reacties waren opzienbarend. Regien maakte grote indruk met de manier waarop ze haar simpele maar o zo doeltreffende oefentherapie aan het volk ontvouwde. Bovendien was ze zo slim geweest zich te voorzien van een netwerk van Mensendieck-therapeuten die geïnstrueerd waren over de methode en deze à la minute in de praktijk konden brengen.

Het was goedkoop, het was doeltreffend. En het was nog leuk ook.

Ze sjouwde met haar 'Door Oefening Fit'-programma van de ene praatshow naar het andere vrijetijdsprogramma, de pers belaagde haar en haar foto stond in alle kranten. In haar eigen vak werd ze op handen gedragen, er was arbeid gecreëerd en dat verbeterde de wankele werkgelegenheid van veel therapeuten behoorlijk.

Toen kwam de tegenaanval.

Dr. Teugel kreeg podium bij Sonja en verklaarde dat het fit-programma van Regien de Kooning levensgevaarlijk was. Gewaarschuwd door een collega, zat Regien met stijgende verbazing naar de man in driedelig grijs pak te kijken. En... zag ze het goed? Daar, op de eerste rij van het publiek zat zijn vrouw, verdomd, in het mantelpak dat nog even bijna het hare was geweest.

'Het heeft veel weg van commerciële beunhazerij, dat plan van mevrouw de Kooning. Natuurlijk, het publiek voelt zich aangesproken, denkt: Ha! Weer iets nieuws, misschien helpt dat, dat ga ik thuis ook doen. Kortom, als een olievlek gaat zo'n methode door het land. En maakt brokken. Geen bonafide fysiotherapeut zal zich hiermee inlaten!'

Wat intens gemeen! Die Teugel moest als chirurg toch beter weten. Zeker bang, dat er niet meer genoeg te snijden viel. Bang ook, dat de mensen zelfstandig het beheer over hun lichaam gingen voeren, zich niet meer afhankelijk stelden van de op een voetstuk staande overgewaardeerde medische stand. De mondigheid van mensen, dat probeerde die zak tegen te houden!

Blazend van woede was ze juist van plan een collega te bellen, toen Lomme thuis kwam van de training.

'Wat maakt ge u nou toch kwaad, lieveke. Het is toch allemaal onmacht wat zo'n vent beweert. Maar ja, ik heb u ook gewaarschuwd. Ge steekt uw nek uit en dan willen ze hakken!'

Stak jij je nek maar eens uit! dacht Regien. En ook dacht ze: Kom je nu van de receptioniste of van de vrouw van Krijnse? Zal ik het eens gewoon vragen?

Maar ze zei niks. De tweeslachtigheid van haar gevoelens was groot. Ze verlangde heviger dan ooit naar Lomme, zijn aanraking, het samen slapen. En ze wilde nog een kind van hem.

'Lomme, kus alsjeblieft m'n nek?'

Dat deed hij altijd graag. Hij kuste haar nek, met zachte lippen, haar oorlelletjes, schoof haar bloesje naar beneden, zocht met zijn lippen lager en lager.

Toen ze lagen uit te blazen dacht ze: Het kan toch niet mogelijk zijn, dat hij het zojuist nog met een ander heeft gedaan. Lomme is toch geen hengst, of stier, de intensiteit van wat we zojuist hebben beleefd, zijn huid op de mijne, het gaat allemaal veel verder dan lust en geilheid, het is de enig ware diepte die een mens kan bereiken.

Voor het gemak vergat ze dat er ook in haar leven tijden waren geweest dat ze ongenuanceerd met god en de hele wereld het bed had gedeeld, zonder daar nou iedere keer zulke hoge eisen aan te stellen.

De telefoon rinkelde keihard haar prachtige gedachten stuk.

'Regien, hoe vond je die Teugel!' zei Flip de Swaan. Hoe durft ie. Dat dédain naar de fysiotherapie. Ik verzeker je, dat muisje krijgt nog een staartje. En je moet je vooral niet ongerust maken, want ik kan je in vertrouwen vertellen dat er bij de Vrije Universiteit een onderzoek wordt gedaan naar de resultaten van Mensendieck. Het schijnt er allemaal heel gunstig voor ons uit te zien. Dus laat die etterstraal maar barsten.'

Dat was ze toch al van plan. En nu wilde ze slapen.

Morgen zou ze het Lomme eens op de man af vragen.

26

Ze vroeg het niet. Angst om in de glazenkast van haar geluk onherstelbare schade aan te richten, weerhield haar. Maar ze ging wel heel goed opletten. Ze ontdekte nu ook de steken die hij liet vallen, de gaten in zijn façade van gelukkig getrouwde echtgenoot.

En ze hield haar mond. In haar groeide grote woede tegen die vrouwen die het met hem deden. Wat een onsolidaire kutwijven waren dat, lieten zich onderhouden op royale wijze, kochten leren broeken en diamanten ringen van de vorstelijke salarissen van hun voetballende mannen en speelden ondertussen de hoer. Nou ja, die receptioniste verdiende dan tenminste nog zelf de kost. Haar woede, die zich ook om praktische redenen niet rechtstreeks kon uiten (stel je voor, als het publiek die beerput zou ontdekken), woekerde in rare kronkels in haar geest.

Er moest toch gewroken worden?

Maar hoe...

Op een avond – Lomme was in een oefenkamp voor een grote wedstrijd, de kinderen sliepen – pakte ze vork en mes en haalde uit de kattebak twee mooie verse drollen van Boris, de kater. Ze legde ze precieus op een ontbijtbord. Maar twee drollen waren niet genoeg. Vijf moest ze er hebben. Helaas maakte tante Jopie de kattebak geregeld schoon; ze moest eropuit.

Haastig schoot ze haar regenjas aan, stopte een schuimspaan in een plastic zak van Albert Heijn en begaf zich op straat. Ja, drollen genoeg, maar ook veel buren die hun hond uitlieten, ze kon niet betrapt worden op het rapen van verse drollen. Zeker niet na alle publiciteit naar aanleiding van haar Fit-programma.

Zo liep ze twee blokjes voor niets, keek, toen er even geen passanten waren, schichtig om zich heen en schepte een forse drol in de plastic zak.

Nu nog twee.

Godverdomme, wat stonk dat. Nou ja, dat was natuurlijk ook de bedoeling. Die droge keutels van Boris maakten geen indruk.

Zo, een beetje gebukt, speurde Regien net zo lang tot ze vijf schitterende exemplaren van de hondedrol bijeen had.

Thuis prepareerde ze vijf keurige grote bruine enveloppen, voorzag ze van namen. Vervolgens liet ze, een beetje griezelend, dat wel, de drollen één voor één in de enveloppen zakken. Voorzichtig, niet kneuzen, niet smeren, zo gaaf mogelijk.

Ze zette de enveloppen rechtop naast elkaar in een rieten mandje, schakelde de telefoon over op het antwoordapparaat en vertrok.

Vijf adressen bezocht ze, vijf brievenbussen werden vereerd met een geurige envelop. Het adres op de Weteringschans was even zoeken.

Intens voldaan keerde ze naar huis terug. Zo. Dat was nog eens harde actie!

27

Het gaf wel een beetje opluchting, ongeveer alsof het deksel van een snelkookpan even wordt opgetild om de allergevaarlijkste stoom, de stoom die onder te grote druk tot een explosie zou kunnen leiden, te laten ontsnappen.

Maar uiteindelijk gaf het geen soelaas voor de steeds maniakaler gedachten die in haar hoofd rondwalsten.

'Wat zijt ge toch afwezig, lieveke? Wat scheelt er toch aan?'

Stomme Lomme, wat zou eraan schelen. Jij, met je veelwijverij, het is niet te harden. En jij, jij existeert maar vrolijk verder, nergens heb je last van, je exploreert je lusten met goesting, met plezier en je bent in staat met mij vredig te leven, te eten, te slapen. Je speelt met de kinderen en verder dan vaststellen, dat ik wat afwezig ben, kom je niet.

Als hij de krant zat te lezen, keek ze naar hem. Hij deed haar denken aan haar eigen woeste jonge jaren, waarin de liefde een spel was, nee, een experiment. Het was geen serieuze zaak, het was een ontdekkingsreis op zoek naar die ene, die ene goeie tussen al die foute aansluitingen.

Toen ze helemaal niet meer de slaap kon vatten, er grauwe wallen onder haar ogen kwamen, besloot ze dat het tijd werd om hulp te zoeken. Ze vond gewoon, onder 'psycholoog', een adres, maakte een afspraak en vertelde een grijzende heer met betrouwbare oogopslag haar probleem. Dat luchtte wat op, maar toen ze hem na het vertellen van haar verhaal vol verwachting aankeek, kwam er niet veel. En toen hij zich bij de derde zitting vergiste in de naam van Lomme (Romme, noemde hij hem) besloot ze, dat er niet genoeg affiniteit bestond tussen de zieleknijper en haar. Ze belde hem af. Ze las in een tijdschrift een artikel over regressie en reïncarnatietherapie. Omdat Regien behalve in grote geestelijke nood, ook behoorlijk sensatiebelust was, belde ze de overkoepelende vereniging en regelde een sessie.

Het feit, dat het onderzoek van de Vrije Universiteit geweldig positief voor de oefentherapie-Mensendieck uitviel (tachtig procent van de patiënten met pijn meldden dat hun klachten waren afgenomen, een ongekend hoge score) bezorgde haar nauwelijks plezier. Ze was dag en nacht geoccupeerd met haar binnenbrand, haar jaloezie, haar onvermogen erover te communiceren met Lomme. Alsof ze hem tot iedere prijs wilde sparen. Er zou iets onherroepelijks gebeuren, als ze hem deelgenoot maakte van haar vermoedens.

De ochtend waarop ze naar de regressietherapeut zou gaan, was er een hevig onweer. Heel vreemd voor november, de bliksem schoot onheilspellend door het zwerk, gevolgd door rake klappen.

Als ik nu door de bliksem wordt getroffen, dacht Regien, dan is alles voorbij.

28

Languit lag Regien op een tuinstoel met steun voor de benen; chaise-longue noemde men dat vroeger. Hoewel ze zich met eigen instemming in deze houding had laten praten, kwamen de weerstanden nu in actie. Ze lag hier dan wel, maar ze zou zich niet laten manipuleren; ze hield de touwtjes zelf in handen. Ze lag met dichtgeknepen ogen en gebalde vuisten. De therapeut keek het eens aan: 'Daar ligt wat aan spanning samengekrampt!'

'Wat dacht uw moeder toen ze u in zich droeg?'

Regien schoot in een lach, die ze haastig onderdrukte. Hoe krampachtig ze zich ook probeerde te concentreren op de vragen, ze bleef maar gefixeerd op de krachtige geur van kattepies, die zich vanaf het ogenblik van binnenkomst onweerstaanbaar in haar neusgaten had genesteld. Waarom namen mensen met katten vaste vloerbedekking? vroeg ze zich af. Nou vooruit, niet kinderachtig doen, een beetje meewerken. Ze lag hier niet voor de kat z'n kont, maar op aanraden van een mevrouw uit een artikel, die geweldig goeie ervaringen had met deze nieuwe loot aan de psychiatrische stam: de reïncarnatietherapie. Hier zou een mogelijkheid liggen tot opsporing van de diepere oorzaak en, naar ze hoopte, verwijdering en uitroeiing van haar idiote fanatieke jaloezie.

Om tijd te winnen herhaalde ze de vraag nog maar eens.

'Wat dacht mijn moeder toen ze mij in zich droeg?'

Al sloeg je haar nu ter plekke dood, ze kon zich niet voorstellen wat haar moeder zou hebben gedacht, terwijl ze met een dikke buik moeizaam bukte om haar veters dicht te strikken.

De therapeut sloeg dit item dan maar over, misschien lag hier een blokkade.

'Wat waren de gedachten die u beheersten, daar in die donkere vochtige warme ruimte?'

Er borrelde een bulderende lach in Regien, die ze goddank wist te laten stollen in het opkrullen van haar mondhoeken. Maar haar vuisten lieten los, haar handen strekten zich en haar oogleden hoefde ze niet meer zo strak naar beneden te duwen; lachen ontspande wél!

De therapeut knikte tevreden, dit had hij eerder meegemaakt, hij kende zijn vak. Altijd die cynische buitenkant die van geen overgave wilde weten. Maar áls ze eenmaal kwamen, waauw... dan wist je vaak niet wat je beleefde!

'Kijk uit! Pas op! Hoe kom ik hieruit?'

Regien riep maar wat, ze kende het mechanisme van de vrije associatie en dat paste ze voor het gemak even toe. Want wat zou een ongeboren kind anders denken dan: Hoe kom ik hier uit?

'Waar moest u voor uitkijken?'

Waar moest ze voor uitkijken? Voor de aanstaande geboorte waarbij ze door een kleine nauwe poort de wereld in zou worden gedreven?

De therapeut schoof zijn stoel iets dichterbij en boog zijn gezicht naar Regien over. Omdat ze consequent haar ogen dicht hield, schrok ze zich te pletter toen ze zijn stem plotseling van heel dichtbij indringend hoorde sissen: 'Verder... dieper... nog verder... hoe bent u gestorven?'

Er gebeurde iets merkwaardigs, er kwamen beelden bovendrijven in haar hoofd, zoals vetogen op bouillon. Zoals een foto in het bad in de donkere kamer plotseling de werkelijkheid prijsgeeft, zo drong er zich een voorstelling aan haar op. Ze maakte een ongearticuleerd geluid: 'Eèèhhoo...'

'Vertel het maar.'

De lucht van kattepies trok weg, er kwam een gevoel van intense rust over Regien. Ze stond... nee ze liep door water, steeds verder van de kant, op weg naar de vrijheid, naar een wereld waar ze zou wachten op uiteindelijke bevrijding... waar ze Ferenc weer zou vinden, waar ze herenigd zouden worden.

Zij?

Welnee, ze was een man, een grote dikke man. Zijn kleren werden nu wel loodzwaar van het water, maar dat deerde hem niet... hij schreed met grote passen voorwaarts. Op het ogenblik waarop hij zijn voeten optilde om zwemmend verder te gaan, voelde hij een afgrijselijke pijn in zijn borst. Hij struikelde en viel in het water, half op zijn zij.

Hij probeerde zijn hoofd op te richten, maar de

pijn rond zijn hart werd nu zo hevig dat hij alleen nog maar naar adem kon happen. Hij zakte verder, dieper, het toch ondiepe water in, opende hulpeloos zijn mond. Het water stroomde naar binnen, vulde zijn longen, zijn borstkas. Eén gedachte bleef hangen tot het laatst: Ferenc... nu zou hij Ferenc weerzien...

De therapeut die eerst nog tevreden toezag hoe zijn cliënt, vlugger dan hij ooit had verwacht na al die emotionele barrières, heel snel tot de kern kwam, werd ongerust. Dit ging wel erg ver. Hij was weliswaar gewend aan alle mogelijke herbeleefde sterfscènes zoals heksenverbrandingen, onthoofdingen, martelpartijen, maar wat hij nu constateerde was een totale gedaanteverwisseling.

Regien lag daar, klappertandend, lijkbleek, haar vingers werden blauw.

Ze moest terug naar de werkelijkheid.

Hij begon haastig en luid te tellen. 'Een, twee, drie... Wakker worden... wakker worden... vier, vijf, zes... de armen strekken, en nu langzaam de ogen openen. Zeven, acht, negen, ja, goed zo.'

God zij dank, ze opende haar ogen, keek verwilderd om zich heen, keek naar haar handen, haar dooie vingers.

'Ferenc...,' mompelde ze.

'Wat zegt u?'

Luid herhaalde ze: 'Ferenc!'

'Kunt u mij vertellen wat u heeft beleefd?'

De therapeut voelde, zonder zijn blik van Regien af te wenden, achter zich naar de thermoskan met hete kruidenthee.

'Ik ben verdronken.'

Klappertandend, rillend, inderdaad of ze zó uit het koude water was opgevist, lag ze daar. En ze was merkwaardig genoeg heel tevreden, bijna vrolijk gestemd, of alles duidelijk was geworden, alle vragen waren opgelost door de ontsluiering van een vreemd raadsel.

De therapeut schonk een mok hete thee, met trillende handen bracht Regien de beker naar haar mond, dronk terwijl haar tanden tegen de rand sloegen. God, wat had ze het koud!

'Wat voor naam zei u zojuist.'

'Ferenc.'

Ze vond het allemaal volkomen vanzelfsprekend.

29

'Eén ding, majesteit.'

De lange man in de grote witte onderrok stampte ongeduldig met zijn linkervoet.

'Wat nu weer, Rosipal?'

'U bent uitzonderlijk lang.' De stem van de kleermaker klonk angstig.

'Ja, dat ben ik. En?'

'Voor een man bent u zéér lang. Laat staan voor een vrouw.'

'Ik zal geen laarzen dragen. Dat scheelt zeker vier centimeter. Er zijn ook lange vrouwen. Ik zal een voile dragen!'

'Zo u wilt, majesteit.'

Rosipal kwam overeind, de ogen neergeslagen.

'Wanneer kan de trotteur gereed zijn?'

'Overmorgen, majesteit.'

'Overmorgen, overmorgen.' De koning stampte nogmaals.

'We werken dag en nacht dóór, majesteit. Het is de uiterste datum.'

'Goed. Overmorgen. In de ochtend. Alles. De hoed, de mitaines, de guimpe, de voile. En, niet te vergeten, het corselet.'

'Het corselet. Jazeker majesteit.'

'In zwarte kant. U heeft nu de precieze maten.'

'De precieze maten, majesteit. U kunt erop rekenen. Overmorgen om twaalf uur.'

'Goed Rosipal. Ik reken op absolute discretie.'

'Vanzelfsprekend, majesteit.'

'Ik wil overmorgen in de namiddag oefenen. U wacht. Zodra ik mij zeker voel kunt u binnenkomen en eventuele correcties ter plaatse uitvoeren.'

'Majesteit, uw dienaar.'

'U kunt gaan, Rosipal.'

Diep, zeer diep boog de kleermaker en verliet achterwaarts, met gebogen hoofd, het slaapvertrek van de koning.

Deze liep geruime tijd heen en weer, in zichzelf mompelend, af en toe een hoge lach uitstotend.

'Overmorgen... en dan...'

De koning durfde zijn gedachten niet uit te denken, af te maken. Het was té schokkend, té ver gaand.

'Ferenc,' fluisterde hij, 'Ferenc, Ferenc, Ferenc, kleine prins.'

In de keuken van Linderhof sloeg Maria Lázár woedend twaalf kakelverse eieren tot struif.

30

'Ferenc... Ferenc!'

Waar zat dat jong toch? Maria liep in zenuwachtige woede heen en weer, dat kind, haar oogappel, ze was gewend hem in haar onmiddellijke nabijheid te weten. Maar de laatste drie weken ontsnapte hij haar voortdurend.

Vroeger speelde hij meestal op de keukenvloer met stukken hout, een speelgoedpaard dat zijn vader zaliger voor zijn oudste broer zaliger had gesneden. Maria zong voor hem, hij zong dan zachtjes mee. Nou ja, zingen... het was meer toonloos brommen wat hij deed. Zijn spreekstem was hoog en helder, een zangstem had hij niet.

'Ferenc!'

Daar lag hij, naast de porseleinen kachel op de grond, in diepe slaap.

Maria schudde hem wakker.

'Ferenc, kom we moeten eieren rapen.'

Het kind, nauwelijks negen jaar oud, kwam traag overeind, wreef zich de slaap uit de ogen.

'Ben je ziek? Waarom slaap je midden op de dag!?'

Ferenc geeuwde luid, zijn kindermond reikte naar zijn oren.

'We zijn vannacht met de slee wezen rijden.'

Maria's hart sloeg over. 'Jij? Met de slee? Je bedoelt, dat de koning?...'

Zorgen, een leven lang zorgen. Zorgen die iedere vreugde in de kiem smoorden. Ziekte, dood, oorlog. En nu Ferenc, haar enig overgebleven kind, haar gouden zoon.

'De koning heeft me voorgelezen. Ik mocht onder het berevel zitten. Maar het was toch koud. Toen kreeg ik hete thee.'

Zij was de muis en de val klapte dicht. De koning... al haar boze en angstige vermoedens bleken juist te zijn geweest.

Ze schudde hem ruw door elkaar, alsof hij de koning was.

'Wat heeft ie met je gedaan, vooruit, zeg op!'

'Dat zeg ik toch? Voorgelezen!'

'Wat heeft ie je voorgelezen?'

'O, ik snapte het niet; ik keek naar de sneeuw, de bergen. De maan scheen ook!'

'En verder?'

Stom, stom, stom. Ze had vanochtend niet gekeken naar Ferenc, ze had het brood klaargezet en was het huis uitgeslopen, naar het kasteel.

Ferenc rekte zich uit, gaf geen antwoord. Hij peuterde met zijn wijsvinger in zijn mond, de koning had hem marsepein laten snoepen, er zaten amandelkruimels tussen zijn kiezen... lekker was het geweest.

'Wat heeft de koning met je gedaan? Heeft ie aan je gezeten?'

'De koning heeft m'n hand vastgehouden.'

Wat moest ze doen? Moest ze werkeloos toezien hoe die vieze oude man haar kind, haar mooie jongen bezoedelde, ontucht met hem bedreef? De omslagdoek dicht om zich heen trekkend liep ze schuin voorovergebogen tegen de ijzige wind in naar het kasteel. 'Lieve God,' bad ze onder het lopen, 'verlam zijn hart. Laat hem stikken in zijn vlees. Laat hem de vliegende tering krijgen. Laat hem met z'n gore poten van m'n zoon afblijven!'

In de keuken van Linderhof was het warm, de ramen dropen van condenswater. De kok hakte op een grote houten plank een stuk mager rood vlees klein. De koning kon immers nauwelijks meer kauwen.

'Snijd jij de uien, Maria! Je bent erg laat.'

Zou ze de kok in vertrouwen nemen?

Maar hij zou haar uitlachen, hij hield zelf immers alleen van jongens. Hoe vaak was ze getuige geweest van zijn obsceen gedrag, het kon hem niks schelen dat zij zijn schandelijkheden zag, zijn vieze grappen moest aanhoren. Ze had altijd gedaan of ze gek was, onverstoorbaar ging ze haar gang. Het was immers haar brood.

Maar nu haar eigen vlees en bloed in het geding kwam, werd het anders.

Ze sneed twaalf uien klein en veegde haar rode natte ogen droog aan de punt van haar schort. Langzaam rijpte een plan...

31

'Majesteit.'

Meneer Rosipal probeerde met twee enorme kartonnen dozen op zijn vooruitgestoken armen toch een onderdanige, licht buigende loop uit te voeren. Hetgeen jammerlijk mislukte, zodat de dozen van zijn armen gleden en met een luide plof voor de voeten van de koning belandden. Eén deksel schoot los, wit vloeipapier vouwde open, onthulde zwart kanten dessous. Meneer Rosipal viel op zijn knieën, gek van de zenuwen probeerde hij zijn spullen te fatsoeneren. De koning stiet een gierende hoge lach uit.

'Meneer Rosipal, hoe elegant. Zet u de zaken maar op gindse tafel.'

Meneer Rosipal voelde het zweet langs zijn zij lopen, ondanks de sous-bras vormden er zich twee grote vochtplekken in zijn zijden overhemd. Hij had ook zoveel verhalen gehoord over 's konings wispelturige en soms wrede gedrag, dat hij gedurende de afgelopen week nauwelijks een oog dicht had gedaan. Een hele eer, dat wel, maar stel je voor dat hij de opdracht niet naar de zin van Ludwig zou uitvoeren.

'U kunt hiernaast wachten. Ik wil op mijn gemak alles bekijken!'

Geen kamerdienaar, geen kleermaker; dit was een hoogst persoonlijke aangelegenheid.

Rosipal verdween achterwaarts. Ludwig wachtte tot de klink in het slot viel, verhief zich van zijn stoel en liep op zijn tenen naar de deur, bukte voor het sleutelgat en hing zijn zijden mouchoir over de kruk.

Handenwrijvend liep hij naar de dozen. Ah! Dit was het corselet. De koning streelde en kneep in de vrouwenkleren, hield de zwarte cheviot rok voor zich, maakte een vreemde danspas.

Nu moest hij zichzelf ontkleden. Gewend aan gedienstige handen, die knopen en strikken los- en vastmaakten, viel het niet mee zich van zijn kleren te ontdoen. Maar het moest, bij dit karwei kon hij geen hulp gebruiken. Daar stond hij, zijn naakte lichaam vreemd rillend, het witte vlees vertoonde op dijen en buik putten, zoals de sinaasappelhuid van een onmatige vrouw.

Het corselet.

Hij vatte het fraaie zwart kanten kledingstuk met beide handen aan, legde het om zijn middel. Onhandig prutste hij met de veter; eindelijk trok hij de twee uiteinden te zamen zo strak mogelijk aan.

Hij zag zichzelf in de spiegel, in vier, veertig, vierhonderd spiegels, eindeloos weerkaatst aan alle kanten; een boom van een kerel, het zwart kanten hulpstuk vreemd ingesnoerd op taillehoogte, de jarretelles zinloos langs zijn bleke dijen omlaagbungelend.

En daaronder, bizar, verhief zich zijn geslacht, zijn testikels trokken strak, zijn paal verhief zich kolossaal, de paarse eikel zwellend uit de voorhuid. Bij de aanblik van zichzelf, duizendvoudig weerkaatst, vergat hij een ogenblik, dat het corselet slechts diende om zijn lichaam enigszins vrouwelijke vormen te verlenen, om de rest van de uitrusting beter tot zijn recht te laten komen. Het corselet werd een wellustige hoofdzaak, hij nam zijn zeer lange lid ter hand en deed wat hij al honderden malen in eenzaamheid had gedaan.

Een ingehouden gekerm begeleidde het moment suprème; zijn zaad spoot hoog tegen de spiegel, van duizend spiegels droop het langzaam, een duizendvoudig grijs-wit spoor trekkend, naar beneden. Narcissus in zwart corselet.

Meneer Rosipal, de kleermaker, die verkrampt in het kleine vertrek voor de spiegelzaal wachtte op goedkeuring van zijn werk, hief ongerust zijn hoofd.

32

'En wat zullen we nu eens gaan doen, Ferenc?'

De koning sloeg het grote sprookjesboek dicht, zijn kleine toehoorder zat toch maar een beetje te kuchen en te schuifelen. Bij volwassenen had hij in zulke gevallen niet de minste consideratie; als hij, de koning, voorlas, dan diende er geluisterd te worden, in volle concentratie. Maar deze kleine elf mocht niet verveeld worden.

'Mag ik nog een chocolaatje, majesteit?'

'Ja, jazeker, laten we nog wat snoepen. Vooral die grote donkere truffels zijn heerlijk, zo zacht, je hoeft ze niet te kauwen. Maar er zit drank in, daar ben je eigenlijk nog te jong voor, voor likeur.'

Het kind vrat met twee handen chocola. Vlekken op zijn witte blouse, bruine handen, bruine mond. De koning moest zich erg beheersen om die kleine mond niet even schoon te likken. Beheersing, beheersing... niets bederven. Ludwig stak nog maar een cointreau-praline in zijn zwartgeblakerde rotte-tandenmond, half beschaamd achter zijn hand. Maar Ferenc vond dat nu juist interessant.

'Hebt u geen tanden meer?'

'Jawel, jawel.' Verlegen wendde Ludwig zijn hoofd af.

'Laat eens zien?' Hij draaide met zijn kleine vuile

hand 's konings hoofd naar zich toe, peuterde vrijmoedig een vinger tussen diens lippen. In een poging om er dan maar een grap van te maken, sperde majesteit zijn mond wijd open en stiet een leeuwegebrul uit.

'U hebt alleen maar stompjes. Zwarte stompjes!'

'Die krijg jij later ook. Als je maar flink doorsnoept!'

Ludwig nam een geconfijte kers, kneep in Ferencs neus en stopte de lekkernij in zijn mond. Beheersing... beheersing. Hij werd heen en weer geslingerd tussen wellust en tederheid. De tederheid won.

'Hou je van verkleedpartijen, charades?'

'Wat zijn dat, charades?'

'Dan mag iedereen zich verkleden. En dan spelen we toneel.'

'Ja, ja. Verkleden.'

Hij moest nu de zaak inleiden op een manier, die volstrekt vanzelfsprekend moest lijken.

'Zal ik me eens prachtig verkleden voor jou, Ferenc? Als een voorname dame? Een gravin?'

Het kind viel schaterend achterover op het bed, zijn benen in de lucht van pret. 'En dan, en dan?'

'Dan gaan we op reis, jij en ik, in een koets. Niemand ziet, dat ik de koning ben. We nemen een hele grote mand met lekkere dingen mee: streuselkuchen, marsepein, worstjes, truffels, alles wat je wilt.'

'En dan?'

'Dan rijden we een eind, en dan komen we aan bij een herberg; niemand, niemand heeft er ook maar een idee van dat ik de koning ben, ze denken dat ik een dame met haar kleine jongen ben, die op reis is naar de stad, en die een nachtje wil overblijven.'

'En mama dan?'

'O, we zeggen tegen mama, tegen mama zeggen we...'

De koning moest diep nadenken. Natuurlijk, Maria zou alarm slaan als haar zoon plotseling was verdwenen.

'Mama sturen we een brief. Nee, nog beter, een ansichtkaart!'

Hij zou Hornig instructies geven om de vrouw gerust te stellen.

'Blijf je bij me eten?'

Ferenc keek zuinig. Misschien moest hij rare dingen eten, dingen die hij niet kende.

'Ik wil naar m'n moeder.'

'Kom je morgen weer terug? Dan kunnen we spelletjes doen. En dan laat ik ook voor jou dekken. Zeg me maar, wat je dan wilt eten.'

'Soep.'

'Goed. Soep. En wat nog meer?'

'Kip. En braadkartoffelen. En gepofte appelen. En kastanjepuree.'

'Goed, goed. Ik zal het allemaal voor je bestellen. En wat eten we voor dessert?'

'Wat is dat?'

'Dessert? Dat is het nagerecht. Het lekkers na de maaltijd.'

'Pudding. Chocoladepudding. Met slagroom. Mag ik nu naar huis?'

‘Maar ik zou me nog voor je verkleden, weet je wel?’

‘Ik wil nu naar huis.’

‘Goed, m’n jongen. Kom morgenavond met me dineren. En dan spelen we samen. En dan zal ik mij voor je verkleden. Is dat goed?’

‘Dat is goed. Dag majesteit.’

Ferenc liet zich van het bed glijden, maakte aanstalten om het vertrek te verlaten. Ludwig hield hem tegen. Hij kneep zachtjes, heel zacht in de kinderarm, trok het jong tegen zich aan.

‘Ferenc.’ Zou hij een kus durven vragen?

Ongeduldig trok het kind zich los.

‘Tot morgen, m’n jongen.’

33

Die nacht reed de koning niet uit. Na het avondeten ging hij naar zijn slaapkamer, liet alle kaarsen ontsteken, gaf bevel, dat er om elf uur een kan warme chocolademelk moest worden gebracht en dat hij verder niet gestoord wenste te worden.

Zo lag hij daar, een met rood fluweel overtrokken doos pralines van Dahlmeyer onder handbereik. Hij las een stukje Schiller, maar het kon hem niet boeien en al vlug legde hij het boek ter zijde.

Ferenc, Ferenc. De vreemdste gedachten kwamen bij hem naar boven. Zo'n gaaf blond jongetje, die zijden huid, die blonde krullen. Nooit had Ludwig over moederschap nagedacht, zijn eigen moeder haatte hij, maar nu hij zich verdiepte in dit kleine wezen dat zijn belangstelling had opgewekt, stelde hij zich voor, hoe heerlijk het moest zijn om een kind te baren, vlees en bloed van jezelf. Dat was het voorrecht van vrouwen.

Hij streek over zijn bolle buik, zwangerschap, negen maanden lang een kind bij je te dragen, fascinerend.

Hij voelde aan zijn tepels. Als je lichaam zich had gespleten, het kind zijn bestaan was begonnen, dan dronk het uit je, trok aan je tepels, je hield het in leven.

Tegelijkertijd verlangde hij hevig naar de fysieke nabijheid van het kind, naast de tedere gevoelens voelde hij grote wellust, behoefte Ferenc in zijn armen te knellen, hem te pletten onder zijn gewicht. Hij hoorde in gedachten het hoge schaterlachen: Ha, ha, ha, net een vrolijk diertje, een vrije vogel.

Terwijl de koning wegzonk in bespiegeling en hartstochtelijk verlangen, greep zijn hand automatisch in de doos chocola; het bitterzoete van de snoeperij moest zijn verlangens compenseren. Zijn verrotte tanden duwden de bonbons uit elkaar, gulzig zoog hij de verfijnde smaken naar binnen.

Morgen zou hij Hornig een reisschema laten uitstippelen. De moeder van het kind moest gerustgesteld worden, niet bij voorbaat, maar als hij een veilig eind uit de buurt was. Hij stelde zich voor, hoe Ferenc dicht naast hem in de koets zou zitten, hij zou zijn arm om hem heen slaan, hem misschien zelfs wel op schoot trekken. En dan de aankomst bij de herberg.

Hij, de koning, onherkenbaar vermomd als elegante dame met hoed; een moeder met haar zoontje, een gouvernante met haar pupil, een tante met haar neef.

Ze zouden een eenvoudige maaltijd op de kamer laten brengen, er zou een groot haardvuur branden, hij zou Ferenc ontkleden en een bad laten nemen; dat smalle ruggetje inzepen, het vochtige lijfje in een grote handdoek wikkelen en het vervolgens in het grote hemelbed stoppen. Als hij er absoluut zeker van was, dat het kind sliep, dan zou hij zich uitkleden, voorzichtig zou hij bij het kind gaan liggen. Het zou ondraaglijke spanning opleveren, maar hij zou niets, niets doen wat Ferenc zou schaden. Alleen al naast elkaar in dat grote bed te liggen - een lange, lange nacht –, te luisteren naar de regelmatige ademhaling, zich te kunnen buigen over die slapende mond, het parfum van zijn slaaplucht te inhaleren, het hoogste geluk.

Ontdaan van schrik schoot hij uit zijn zoet gemijmer, toen de bediende klopte om hem zijn warme chocolademelk te brengen. Deze wist ook niet hoe hij het had, majesteit op dit tijdstip in bed! Ongeacht het weer werd er 's nachts altijd gereden, en in het hart van de winter gingen ze er steevast met de slee opuit.

Voorzichtig keek hij van onder zijn wimpers naar de vorst, die gulzig de kop aan zijn mond zette. Wat was het toch een snoepvarken. En dan die slechte adem... je moest niet te dicht bij hem in de buurt komen, dan verging je van de stank!

'Breng me de rum!' klonk het gebiedend.

'Zeker, majesteit!' Eerbiedig achteruitlopend verliet de bediende haastig het slaapvertrek.

34

De zeer lange dame (1.91 m.) met de kokette toque op het hoofd, het gelaat verborgen achter een donkere voile liep met de zo kenmerkende hanige tred op en neer door de eetzaal. Ferenc zat op een kruk en klapte verrukt in zijn smerige kleine handen.

'Nu, hoe vind je mijn vermomming? Denk je dat ze zien dat ik de koning ben?'

Ferenc hield zijn hoofd scheef. 'U bent net een dame uit een sprookje. De boze toverheks.'

De schouders onder de korte pelerine trokken even schokkerig, onbeheerst.

'Een toverheks. Zo zo... maar zie ik er wel uit als een échte toverheks. Niet als een verklede koning?'

Dit gevraag werd Ferenc te veel. 'Ik vind het een beetje raar. En ik heb honger. Wanneer gaan we nu eten?'

'Eerst gaan we spelen.'

'Wat voor spelletje?'

'Blindemannetje?'

'Wie moet het eerst de blinddoek om?'

'Jij mag het zeggen.'

'U, majesteit. U moet eerst de blindeman zijn.'

De koning ontdeed zich van zijn hoed met voile, het pafferige hoofd met de verwarde vette haren blootgevend.

'Ik doe de doek om. Waar is de doek?'

'Waar is de doek? Wacht, ik neem dit kleed.'

De koning nam een geborduurd oosters zijden kleed van een lage tafel.

'Hier Ferenc, knoop het mij maar om!'

'Ik kan er niet bij.'

'O ja, natuurlijk, wacht, ik kniel bij je neer.'

Hij knielde voor het kind, dat met rappe vingers de gladde stof om 's konings hoofd knoopte. Deze huiverde bij de aanraking van de kleverige jongenshanden. Zo dichtbij en zo veraf.

'Kunt u echt niets meer zien?'

'Ik zie niks, helemaal niks.'

'Pak me dan, pak me dan.'

Dat liet Ludwig zich geen tweemaal zeggen, hij kende het vertrek op zijn duimpje. Maar Ferenc trok zijn schoenen uit en liep op zachte kousen rakelings langs hem, opzettelijk zo dicht mogelijk naderend.

Af en toe voelde Ludwig een arm, een bovenlijf, maar aalglad wist Ferenc iedere keer net op tijd weg te komen, pesterig af en toe 'boe' roepend om de koning in verwarring te brengen.

Eindelijk lukte het hem het kind te vangen. O heerlijke triomf; één ondeelbaar ogenblik hield hij Ferenc tegen zijn grote lijf gedrukt, het stormde in hem. Beheersing.

'Nu ik!'

Nu was het de beurt van Ludwig de zijden doek om Ferencs hoofd te knopen. Met tedere bewegingen, het moment rekkend, vouwde hij de lap over zijn ogen, trok hem strelend en vooral niet te strak aan.

'Kun je niets meer zien?'

Ferenc stak zijn handen voor zich uit, sloeg in de lucht.

'Het is helemaal donker.'

'Pak me dan!'

Wat zou hij zich graag meteen laten pakken. Maar de spelregels stonden dat niet toe. Pas na veel inspanning, veel gehol en geren, gehijg en gelach mocht hij zijn kleine slachtoffer in de armen lopen.

Ferenc leefde zich uit, kroop als een hond over de grond, quasi snuffelend naar zijn prooi. Dan weer maaiden zijn korte armen door de lucht, in de hoop op majesteit te stuiten. Deze sprong met grote sprongen om het kind, zorgde ervoor dat er af en toe een hand op zijn buik, zijn flanken, zijn bil terechtkwam. O, die vlinderachtige korte aanrakingen... nu liet hij zich maar pakken!

Het kind sloeg beide armen om de buik van de dikke koning, hij klemde zich stevig tegen hem aan, zoals een aap in de moedervacht.

'Gepakt, gepakt, ik heb je gepakt!'

In de hitte van het spel tutoyeerde hij de vorst, vergat de verplichte aanspreekvormen. Maar Ludwig, dol op protocol en maintien, hoorde het niet. Hij voelde zich bevangen door liefde en lust, ook hij klemde het kind vast, tilde hem nog iets hoger, vaster tegen zich aan. Zo had hij een eeuwigheid willen staan, eeuwig, eeuwig.

'Niet zo knijpen!' Ferenc worstelde zich los. Het gespartel bezorgde Ludwig nog meer verrukkingen. Uiteindelijk liet hij het kind los.

'En nou heb ik toch zo'n honger. Gaan we nou eten?'

'Zullen we nog niet één keertje, nog één keertje blindemannetje spelen?' Hij smeekte bijna. O, nog één keer dat genot te voelen van die tedere omhelzing.

'Nee, mijn maag knort. Hier, luister maar...'

Ferenc trok het hoofd van Ludwig naar beneden, tegen zijn maag. 'Hoor je het geknor? Erg hè? Dat komt van de honger!'

Hij moest het uitstellen. Morgenochtend zouden ze samen op reis gaan. Alles was tot in de puntjes voorbereid. Maria zou pas tegen het avondeten op de hoogte worden gebracht, gerustgesteld. Morgenavond, morgennacht.

Duizelig van het niet te bevatten geluk, het genot dat hem wachtte, wreef de koning zich het voorhoofd. 'Goed, ik zal bellen dat de tafel kan worden bovengehesen.'

'Waar is de tafel dan?'

Ludwig greep zijn kans. Nog meer sprookjes zou hij Ferenc voeren.

'Ik kan toveren. Als ik roep "tafeltje dek je", dan komt de tafel omhoog. Met al het lekkere eten erop!'

Ongelovig keek Ferenc naar hem op. Hij vond de koning lief, hij was helemaal niet meer bang voor hem, zoals in het begin. Je kon geweldig met hem lachen. Ze zouden hem nooit geloven, als hij alles zou vertellen. Z'n moeder zou hem heen en weer schudden aan zijn arm. Ze kneep zo hard.

'Doe het dan, als je kan!'

De koning nam een tafelbel op en rinkelde luid. Daarbij sprak hij de woorden: 'Tafeltje dek je, tafeltje dek je.'

Langzaam kwam de vloer in beweging. Langzaam, langzaam zakte de tafel met de gouden krulpoten en het marmeren tafelblad weg in de vloer. Ferencs ogen werden bol van verbazing.

'Maar, hoe kan dat nou?'

'Ik zeg je toch, ik kan toveren!'

Nieuwsgierig wilde Ferenc naar het gat midden in de kamer lopen, maar Ludwig hield hem tegen. 'Nee... nee, niet kijken. Dan verbreekt de betovering!'

Een beetje angstig bleef Ferenc stokstijf zitten. Er klonk gerinkel, gerammel met porselein, hij rook een krachtige soeplucht.

En daar kwam de tafel weer omhoog, met dampende schalen, voor twee personen gedekt met glanzende borden, zilveren vorken en lepels en messen. Ferencs mond zakte open.

'Laten we nog één keer tikkertje doen. Wie wint, mag op de grote rode zetel zitten!'

'Mag ik dan eten?'

'Ja, dan gaan we eten. Pak me dan.'

Er zette zich een dolle jacht in. Het scheelde een haar of er vloog een glas tegen de vloer. Het was verbazingwekkend, zo snel en lenig die dikke koning kon wenden en keren. Maar Ferenc was nét iets vlugger.

'Tikkie!'

Hij greep majesteit bij de lange zwarte rok en hield hem stevig vast.

'Goed. Jij hebt gewonnen. Kom maar, dan zet ik je op de grote rode stoel.'

Met een zwaai tilde hij het kind op de zetel, knoopte hem het klaarliggende servet voor.

De koning schepte op, keek hoe het kind gretig lepelde, met zijn hand zijn mond afveegde. 'Mmm... lekker.'

De koning tilde een deksel op. 'Kijk, de kok heeft voor jou een kippeboutje klaargemaakt.' Hij stond op het punt het gebraad op Ferencs bord te scheppen.

'Wat is dat voor vlees?' Ferenc wees op de grote Duitse biefstuk, overdekt met gebakken uien.

'Dat is voor mij. Dat is gehakte biefstuk, omdat ik niet goed meer kan kauwen.'

'Dat is veel lekkerder dan kip. Dat heb ik nog nooit gegeten.'

'Hier lieve jongen, eet jij mijn biefstuk maar. Ik heb geen honger. Jij bent mijn eten en drinken.'

Zorgzaam schepte Ludwig het fijngekruide heerlijk geurende vlees op het bord van het kind.

'Hier, smul maar. Van biefstuk word je groot en sterk. Kijk maar naar mij!'

Met grote gulzige happen at het kind het vlees. Vol liefde keek Ludwig toe, zijn hart en ziel stroomden over. Dit gevoel, hierin kwam alles samen waarvan een mens kon dromen. Door dit kind was hij in staat zichzelf te vergeten, zichzelf weg te geven. Zoals hij nu zijn vlees weggaf.

Plotseling maakte Ferenc een vreemde beweging, een happen naar lucht, er kwam een gesmoord geluid uit de kinderkeel.

'Mijn God, jongen. Wat is er?'

Het kind greep in doodsangst naar zijn keel, zijn ogen puilden uit hun kassen, hij liep blauw aan.

'O God, o Heer, help me, help me!'

Ludwig viel half over de tafel, schoof een schaal met appelcompôte over de rand. De schaal viel, brak, spilde de geurige massa over het tapijt. Hij nam het kind in zijn armen. Hij overlaadde het kleine hoofd met kussen. Hij kuste de vette kindermond, nog vol half gekauwd vlees.

Hij reikte naar de tafelbel, rinkelde luid en krachtig, stampte met zijn voet op de vloer. Vervolgens liep hij met zijn kostbare vracht naar de deur, stiet deze met zijn elleboog open, snelde via het roze kabinet naar de slaapkamer.

Nu kwamen de gealarmeerde bedienden, Hornig voorop. 'Majesteit... mijn God, majesteit...'

Onder het blauwe baldakijn lag Ferenc op 's konings bed en stierf. Handenwringend, zacht jammerend liep Ludwig heen en weer. Hier lag zijn liefde, geen kwaad had hij in de zin en nu...

Hij knielde naast het bed, klemde de koude kleine handen van het kind in zijn grote handen.

'Alles verloren... alles verloren... voorgoed verloren.'

35

De zaak werd in de doofpot gestopt. Even overwoog men een communiqué te doen uitgaan, waarin gewag werd gemaakt van een moordaanslag op de koning. Maar de kans dat Ludwig tegelijkertijd in opspraak zou worden gebracht door het feit, dat hij tijdens de bewuste maaltijd een kind van zeven jaar in zijn gezelschap had, was té groot.

Ferenc werd in alle vroegte op het dorpskerkhof van Ettal begraven, zonder kerkdienst of stichtelijk woord. Maria stond als versteend ter zijde, toen de grafdelver samen met de koster de kleine houten kist liet zakken. Een enorme grafkrans (vuurrode rozen, wel meer dan honderd, en dat in januari!) werd opzij gelegd, voorzichtig. Want hoewel er geen linten aan bevestigd waren, wist iedereen het: de krans kwam van de koning.

Toen de delver de spade greep en de eerste scheppen aarde op de kist wierp, kwam er beweging in de roerloze vrouw. Krijsend stortte ze zich op de krans, scheurde en rukte de fluweelrode bloemen kapot, handenvol tere bloemblaadjes vlogen door de lucht.

'Moordenaar! Smerige kinderverkrachter! Je hebt mijn kind vermoord. Hoe durf je bloemen op zijn graf te leggen. Vuile moordenaar!'

De delver en zijn collega grepen haar bij de armen,

wilden haar wegvoeren. Ze rukte zich los en rende weg.

Ziekte, dood, oorlog, dat was haar leven. En nu: moord. Dat was te veel. Veertien dagen later vond men haar lijk in de rivier.

De koning zonk weg in diepe melancholie. Niets bezorgde hem meer enige vreugde. Hij vrat en dronk als een beest, weigerde wie dan ook te ontvangen. Af en toe probeerde hij zijn treurnis te doorbreken, iets op te roepen van het kortstondige geluk dat Ferenc hem had geschonken.

Uittreksel uit de getuigenverklaringen, die er uiteindelijk toe hebben geleid, dat Ludwig II *van Beieren krankzinnig werd verklaard en opgesloten moest worden in Slot Berg aan het Starnberger Meer.*

'Stallmeister Hornig, welcher sich seit 1867 in der Nähe und Umgebung Seiner Majestät befand, bekundet, das Seine Majestät Anfangs noch ein grösseres Bedürfnis hatte, mit Menschen zu verkehren, er erzählt von Waldfesten, die der König mit jüngeren Stallbediensteten veranstaltete, bei denen Spiele, wie "Ringverstecken", "Schneider leih' mir deine Schere" und dergleichen gemacht wurden. Später unterblieben diese Unterhaltungen, doch kam es noch vor, das Stalleute auf dem Schachen in dem in türkischem Style eingerichteten Zimmer, in orientalischer Weise sitzend, mit Seiner Majestät Sorbet tranken und aus türkischen Pfeifen rauchten. Auch im Hundinghause am Linderhofe zechte

das Personal auf Fellem ruhend und trank nach Sitte der alten Deutschen aus grosen Trinkhörnern Meth.'

Wilhelm Wöbkind, *Der Tod König Ludwigs* II *von Bayern.*

36

In de enige goede houding om koude nachten door te komen, zo lagen ze bij elkaar. Lomme hield Regien stevig vast, hij ontleende veel aan het feit dat ze na al die jaren nog steeds plompverloren in zijn armen in slaap donderde.

Regiens ijskoude voeten werden langzaam warm, de warmte kroop langs haar kuiten omhoog.

'Veilig en warm, veilig en warm,' zoemde het in haar hoofd, 'bij Lomme is het veilig en warm.'

Nou ja, zolang ze hier lag was dat waar. Maar morgenochtend, na het trage uitrekken, het luidruchtige gegeeuw en gegrom, het geplons en gespat in de badkamer, dan kwam hij overeind, rechtop. Hij werd weer man, wakker, assertief. De jacht ging open vanaf het ogenblik dat hij gladgeschoren, een schoon overhemd dichtgeknoopt, uit de badkamer stapte. De innigheid, het nachtelijk verbond werd opgeheven. Maar nu was Lomme van haar.

'Regien.'

'Wat is er m'n schat?'

'Regien, ik schat mezelf nog op twee jaar voetballen. En dan heb ik toch zo'n verschrikkelijke trek in een goeie sportzaak met superspul. Italiaanse shirts, Nikes, Adidas. Wat dacht gij daarvan.'

Al ging je een hoerenkast beginnen, dacht Regien.

Als je maar gelukkig bent. Als je in dit leven maar alles doet, waar je in je vorige kinderleven nooit aan toe bent gekomen. Alle vrouwen van de wereld naaien, ach en op een dag weet je dat ook, en zolang je mij nog zo in m'n nek kust, en misschien nog op de valreep een nieuw kind maakt... wat heb ik dan te klagen? Ik heb niets te klagen in dit leven.

De volgende keer, mijmerde ze, dan zou ze het anders inpikken. In dit leven was ze in een aantal zaken volledig tot haar recht gekomen. En nog steeds, dagelijks kwam ze aan haar trekken. Ze had het moederschap leren kennen, en haar grote liefde geconsumeerd. Maar dan, in een volgend leven, moest Lomme eraan geloven.

'Ja m'n schat, een sportwinkel, dat lijkt me een mooi idee, een goed plan. Dan amuseer je je. En je verdient je brood.'

Lomme hoorde haar niet meer, hij was in slaap gesukkeld, ze hoorde zijn regelmatige ademhaling. Meestal was zij de eerste. Ze werd plotseling klaar wakker. Een visioen... helder inzicht in de verre toekomst. Met grote zekerheid zag ze haar volgende leven, haar volgende gang in de liefde.

Registeraccountant. Een man met veel gezag en groot financieel talent, beschikkend over het vermogen van iedere gulden het dubbele te maken. Een slanke man, die niet van chocola hield. Een aantrekkelijke sensuele man, die trefzeker iedere vrouw die hij begeerde daar kon krijgen, waar het hem beliefde.

En Lomme? Lomme zou thuis zitten, met drie schattige kinderen. Lomme zou lekker koken. Lomme zou ontzettend op zijn vingers worden gekeken; geen geflirt met melkboeren en postbodes. Lomme zou trouw zijn.

En 's nachts, in bed zou het net zo zijn als nu.

Veilig.

37

Op het reïncarnatiekantoor hierboven is het een corrupte bende. Armzalige zielen zitten honderden jaren langs de kant te wachten op een aards leven, als kip of koe, of boerendochter, of bediende bij de AMRO.

Maar diegenen, die gemotiveerd zijn door de kracht van liefde...

Ha, zij werken met hun ellebogen, zij manipuleren de administrateur, om alsjeblieft, alsjeblieft een volgend leven toegewezen te krijgen, waarin zij hun verbond kunnen voortzetten, vervolmaken.

Tot alle kanten, het voor en achter van die liefde is geproefd en beleefd. Dan mogen ze oplossen in het schuim van de zee.

Maar voor het zover is, komt er vele malen het ogenblik waarop ze roepen: 'Hallo, daar ben ik weer!'